Pépé Camisole, un hiver pas comme les autres

L'hiver, il fait pas chaud, mais sur notre site la littérature vous réchauffera un peu. Visitez-le :
www.soulieresediteur.com

Du même auteur
Chez le même éditeur :

Ma vie zigzague, collection Graffiti, 1999.
Finaliste au prix M. Christie 2000.
Les neuf dragons, collection Graffiti, 2005.
Finaliste prix des bibliothécaires de Montréal 2006.
Milan et le chien boîteux, collection Graffiti, 2010.
Pépé Camisole et le ptintemps hâtif, 2012.
Pépé Camisole et tous les matins d'été, 2013.
Pépé Camisole, un automne haut en couleur, 2014.

Chez d'autres éditeurs
pour la jeunesse :
Xavier et ses pères, roman, collection Papillon, éditions Pierre Tisseyre, 1994.

pour les adultes :
Ti-cul Desbiens ou le chemin des Grèves, roman, éditions Pierre Tisseyre, 1991.
Les années inventées, nouvelles, éditions Pierre Tisseyre, 1994.
Canissimius, roman, éditions Québec/Amérique, 1990.

Pépé Camisole, un hiver pas comme les autres

un roman de
Pierre Desrochers
illustré par
Julien Paré-Sorel

case postale 36563— 598, rue Victoria
Saint-Lambert (Québec) J4P 3S8

Soulières éditeur remercie le Conseil des Arts du Canada et la SODEC de l'aide accordée à son programme de publication et reconnaît l'aide financière du gouvernement du Canada par l'entremise du Fonds du livre du Canada (FLC) pour ses activités d'édition. Soulières éditeur bénéficie également du Programme de crédit d'impôt pour l'édition de livres – Gestion Sodec— du gouvernement du Québec.

Dépôt légal : 2015

Catalogage avant publication de Bibliothèque et Archives nationales du Québec et Bibliothèque et Archives Canada

Desrochers, Pierre, 1950-
Pépé Camisole, un hiver pas comme les autres
(Collection Chat de gouttière, 50)
Pour enfants de 9 ans et plus.

ISBN 978-2-89607-277-4

I. Paré-Sorel, Julien, 1985- . II. Titre. III. Collection : Chat de gouttière ; 50.

PS8557.E842P464 2015 jC843'.54 C2014-941830-2
PS9557.E842P464 2015

Illustration de la couverture
et illustrations intérieures :
Julien Paré-Sorel

Conception graphique de la couverture :
Annie Pencrec'h

Copyright © Pierre Desrochers, Julien Paré-Sorel
et Soulières éditeur
ISBN 978-2-89607-277-4

1

Le sapin de Noël

Noël n'est pas une période particulièrement facile pour les enfants comme moi qui n'ont plus l'âge de croire au père Noël.

Je me rappelle précisément le jour où j'ai cessé d'y croire. J'avais sept ans. Avec Francis, je venais de sauter ma deuxième année et nous nous retrouvions avec des élèves de huit ou neuf ans pas mal plus délurés que nous ne l'étions, lui et moi.

Remarquez, les premières salves dans cette guerre contre le gros bonhomme rouge à la barbe frisée avaient été tirées l'année précédente, alors que j'étais en première. Nous étions en train de fabriquer des guirlandes de papier pour décorer la classe. J'étais assis à ma table avec trois copains. Deux d'entre eux découpaient des bandes de papier multicolores tandis que, Francis nº 2 et moi, nous les collions les unes à l'intérieur des autres afin d'en former une gigantesque chaîne.

Toujours est-il qu'un de mes camarades, je ne me rappelle plus lequel se mit à fanfaronner et à expliquer aux trois autres, dont Francis et moi, que le père Noël n'existait pas. Que c'était une invention des grands magasins pour obliger les parents à acheter des cadeaux de plus en plus dispendieux à leurs enfants. Il disait avoir appris ça de sa mère qui, elle, le tenait de la vendeuse du cinquième étage de chez *Dupuis frères*.

— Ouais ! Je vous le dis, les gars, conclut mon bonimenteur ; le père Noël, c'est juste un imposteur. Croire à ça, c'est comme croire que la Terre est plate.

— Ce n'est pas la Terre qui est plate, que je lui répliquai tout en continuant à coller mes bandes de papier de couleur, c'est ton histoire… Moi, ma mère, elle m'a dit que le père Noël existait. Sinon, comment on le verrait partout dans les magasins, dans des parades, dans le ciel, de même que dans des films et dans des livres ? Tu peux répondre à ça, le fin-finaud ?

— Si ta mère t'a dit ça, c'est qu'elle n'y connaît rien…

— Oui, elle connaît ça… Si ta mère t'a dit que le père Noël n'existe pas, c'est que tes parents sont trop pauvres et qu'ils se cherchent une raison pour ne pas t'acheter de cadeaux à Noël…

— Ah oui ? qu'il me lança. Ben tu sauras que mon père est pas mal plus riche que le tien.

— Ah oui ? Ben ça me surprendrait. Parce que tu sauras que mon père, il a une Caisse populaire juste pour lui tout seul, et que c'est lui le chef de la Caisse. Et qu'il est tellement riche qu'il prête de l'argent à tout le monde, mon père. Et même lui, il m'a dit que le père Noël existe. Il le sait parce qu'il l'a rencontré un jour et qu'ils ont même parlé ensemble.

— Et de quoi ils ont parlé ? Du Bonhomme Sept Heures, du Gros Méchant Loup ou de la *bibite qui monte qui monte* ?

— Non ! que je lui répondis le visage bouillant de rage. À la manière de casser la margoulette à des péteux comme toi ?

— Essaie donc pour voir !

On se jeta l'un sur l'autre. Il y eut une bagarre. Je lui flanquai quelques taloches. Il me tira les cheveux, me mordit au bras. Finalement, tout se termina par une longue retenue le soir même avec, en prime, la menace de se faire donner *la strappe* par la directrice si jamais la chose se reproduisait.

Le résultat de cette échauffourée fut que le père Noël en sortit grand gagnant. J'étais donc persuadé que le gros bonhomme rouge me gratifierait, le moment venu, de tout un tas de cadeaux afin de souligner le courage et la fidélité dont j'avais fait preuve dans la défense de son intégrité.

Et j'eus raison d'espérer, car ce Noël de 1956 allait rester dans ma mémoire comme le plus extraordinaire de tous. Je l'attendis avec une frénésie et une anxiété qui monta d'un cran chaque jour qui passait. Finalement, au matin du grand matin, les yeux encore enfarinés de rêves superbes, je reçus bien au-delà de ce que j'avais demandé au père Noël lors de ma visite au rayon des jouets de chez *Dupuis Frères* une semaine plus tôt.

Hélas ! Ma victoire n'allait pas durer. Dès l'année suivante, le mythe volait en éclats.

Comme je vous le disais, j'avais été promu en troisième en raison d'un surplus d'élèves en deuxième. Six d'entre nous se voyaient gratifiés d'une année gratuite en raison de la qualité de nos résultats scolaires et de notre prétendue maturité. Or, nous ne fûmes pas accueillis en héros par nos camarades de troisième ; au mieux en envahisseurs et, au pire, en *lècheux* de profs.

Il nous fallut donc faire notre place à grands coups de gueule et de taloches. Ce qui me sauva la mise, ce fut mon extrême habileté au ballon-chasseur. De toutes les troisièmes, j'étais certainement le plus fort à ce jeu. Et comme c'était en partie ce jeu qui déterminait notre statut dans le groupe, alors, bien sûr, on ne mit pas de temps à reconnaître ma valeur. Je fus dès lors le premier qu'on choisissait dans son équipe et celui qu'on désespérait d'avoir comme adversaire.

Cependant, le fait d'appartenir aux troisièmes allait bientôt faire sentir le poids de ses conséquences. Étant plus jeunes que les autres, nous devions toujours faire gaffe à ce que nous disions concernant les croyances que nous entretenions, question de ne pas nous attirer les sarcasmes des autres.

Finis donc la Fée des dents, le Bonhomme Sept Heures, les chats à trois têtes et la peur du noir. Il fallait faire sérieux. L'abandon de ces croyances ne fut pas une lourde perte pour moi. Je n'avais jamais accordé foi à ces contes à dormir debout. Bien que je doive ici admettre que la peur du noir continuait à me tarauder chaque fois que je devais, le soir, descendre seul à la cave pour y quérir telle ou telle chose pour papa ou maman.

L'affaire prit une tout autre allure avec l'arrivée de Noël. Les *grands* nous zieutaient d'un œil gouailleur. D'évidence, ils attendaient que nous fassions la preuve de notre immaturité en avouant croire encore au père Noël, ce qui était mon cas.

Déjà le 12 décembre, à la récréation du matin, lors d'une partie de billes dans la cour, j'avais suscité beaucoup de suspicion en défendant l'idée qu'on fiche la paix aux petits de première et de deuxième et qu'on les laisse croire sans moquerie au père Noël si cela leur plaisait.

— Après tout, avais-je affirmé, ce n'est pas un crime de croire au père Noël.

Cette seule déclaration avait soulevé un tollé chez les plus vieux qui m'avaient regardé avec un mauvais sourire aux lèvres.

— Comme ça, tu crois au père Noël ? m'avait lancé Michel Courtemanche, aussi court d'esprit que ses manches de chemise même en plein hiver, si vous voulez mon avis. Il avait doublé sa troisième si bien qu'il avait deux ans de plus que moi.

— Je n'ai pas dit ça, m'étais-je empressé de répondre avec une véhémence suspecte. J'ai juste dit qu'on foute la paix à ceux qui y croient. Ce n'est pas pareil.

— Comme ça, le petit garçon à sa maman, il croit encore au père Noël ! Est-ce que tu vas aller le voir chez *Eaton* ou bedon chez *Dupuis Frères*, ton beau gros père Noël ? ... Tu lui tireras la barbe de ma part. Je suis sûr qu'il va bien apprécier !

Ce qui m'avait sauvé la mise, ce jour-là, tient à cinq choses : un, à la débilité reconnue de Courtemanche ; deux, à ma réputation de champion au ballon-chasseur ; trois, au fait que j'avais perdu depuis longtemps celle d'être un *têteux* de prof ; quatre, que je n'étais ni un premier de classe ni un dernier ; et cinq, à mon gabarit qui me donnait la force de me défendre tout seul. Je l'avais prouvé déjà à trois reprises.

Alors quand je répliquai à mon gringalet, « Pis, mon Michel ? Ça va toujours bien, la tête ? Les trois, quatre tiroirs qu'il te manque, ça ne te fait pas trop mal au moins ? », cela déclencha dans notre groupe de joueurs de billes un grand éclat de rire. La tronche qu'il me fit, le Michel ! Il fulminait au point qu'il rata son coup en visant la bille de tête.

Alors, je me concentrai, j'ajustai mon tir et je fis un triplé qui me permit d'empocher les vingt-quatre billes que contenait le cochonnet.

Je n'étais pourtant qu'à moitié satisfait. Malgré sa bêtise, Michel Courtemanche avait tout de même marqué un point. S'il avait raté son tir aux billes, il n'avait pas raté sa cible concernant le père Noël. Le doute était désormais solidement ancré dans ma caboche. J'en étais profondément meurtri. Il fallait que j'en aie le cœur net.

Trois jours plus tard, j'accompagnais mes parents chez *Dupuis Frères* pour le grand magasinage des Fêtes. Nous nous rendîmes, comme à l'accoutumée, au département des jouets du cinquième étage.

Le père Noël était là, assis sur son trône doré, entouré de ses rennes et d'une dizaine de sapins illuminés. Je pris la résolution, non pas de lui tirer la barbe comme me l'avait suggéré ce mécréant de Michel Courtemanche, mais de bien l'observer, à la couture des joues, là où prenait naissance l'auguste pilosité père-noëllesque.

Quand ce fut mon tour d'aller lui parler, j'avançai d'un pas hésitant...

Quelle cruelle expérience ce fut ! Là, à la frise de ce qui aurait dû être une longue barbe blanche, frisée et soyeuse, je découvris un postiche jauni, dont la moustache avait peine à tenir en place et où se voyait l'élastique grotesque qui retenait le tout à la face rieuse d'un grime en sueur. J'en fus consterné et confus.

Ce Noël 1957 fut le plus triste de toute ma vie. Et s'il a, depuis, retrouvé un peu de son lustre d'antan, il n'en a plus l'éclat ni l'effervescence. Cette foi inébranlable et naïve que j'entretenais à l'égard de ce personnage débonnaire était à jamais disparue, et avec elle, mes nuits de rêves fabuleux et d'espérance insensée que cette foi avait tant de fois fait naître en moi.

Vieillir exige bien sûr qu'on perde certains de nos rêves afin de s'en forger de nouveaux, mais cela ne se fait jamais sans quelques désillusions. La perte du père Noël fut certainement pour moi la plus cruelle de toutes. J'avais l'impression que, durant plusieurs années, on avait abusé de ma naïveté. On avait triché. On m'avait menti. Et ce crime de lèse-moi-même, je le devais aux personnes en qui j'avais le plus confiance : mon père et ma mère. Et je me suis demandé si je pouvais encore avoir confiance en eux. Car, s'ils m'avaient berné au sujet du père Noël, s'ils ne s'étaient pas gênés pour me raconter n'importe quoi sur un sujet aussi important et délicat, ils étaient bien capables de mentir sur bien d'autres choses.

Cette cruelle révélation concernant l'inexistence du père Noël avait eu sur moi une conséquence qui allait marquer ma vie à tout jamais. Pour la première fois, je prenais conscience que les êtres humains ne naissaient pas tous égaux devant les cadeaux de Noël. Ceux-ci n'étaient pas offerts aux enfants sages comme on me l'avait toujours laissé croire, c'est à dire en vertu d'un certain mérite. Pas du tout ! Ils étaient le fait de la seule capacité des parents d'en acheter ou pas.

Je découvrais l'injustice qui gouverne notre monde. À Noël, beaucoup d'enfants pourtant bien plus sages que moi ne recevraient aucun cadeau simplement parce que leurs parents étaient trop pauvres pour leur en acheter. Pour la première fois de ma vie, j'enregistrais en moi cette vérité incontestable de l'inégalité des chances qui marquait le destin des êtres humains et des malheurs qui découlaient de ce principe pour les plus humbles d'entre nous. Cette vérité n'allait plus jamais me quitter et allait guider mes pas pour tout le reste de mon existence.

Vendredi, 15 décembre 1962, le soir, après le souper

— Alors tu viens, Pierre-Paul ? Ça fait dix minutes que la voiture chauffe dans l'entrée du garage.

Je sors de la salle de bain en attachant les boutons de ma braguette en vitesse. J'embrasse maman qui est étendue sur le sofa en train de lire son *Reader's Digest*.

— Attache bien ton manteau, me recommande-t-elle. Il fait très froid dehors.

— Oui, maman !

— Et puis, mets ton foulard et ta tuque. Tes mitaines aussi. Tu as bien compris ? ... Je t'aime, mon petit homme.

— Moi aussi, maman. Bye !

— Marcel ! Essaie de ne pas fumer dans la voiture. Tu sais que c'est mauvais pour les bronches de Pierre-Paul. Ça le fait tousser. Il relève d'une mauvaise grippe.

— Promis, ma chérie ! Bon, on est partis pour une heure, pas plus, lance-t-il en guise de bonsoir. T'as besoin qu'on rapporte quelque chose ?

— Oui ! Deux pintes de lait et un pain tranché. On va en manquer pour le déjeuner demain matin.

— OK ! Autre chose ?

— Non ! Ah oui ! Tant qu'à y être, achète aussi du fromage, du sucre, des céréales et des bananes. On n'en a plus.

Et nous partons. Un vendredi soir de décembre extraordinaire: froid, neigeux, revigorant, avec plein de lumières multicolores aux fenêtres des maisons, des sapins illuminés sur les balcons. Il ne reste que dix jours avant Noël. Ça sent déjà les tourtières, les tartes, les beignets et les dindes à cuire jusque dans le milieu de la rue.

Le choix d'un sapin est une chose délicate et très sérieuse, en tout cas pour mon père. Je l'accompagne dans cette tâche depuis que je suis en âge de marcher. Chaque fois, c'est l'étonnement chez moi de constater l'attention qu'il met à examiner les arbres qu'on lui propose.

Il ferme un œil, ajuste sa casquette avant de dire non ou oui selon le cas, se gratte le nez quand il hésite. Tâte, tasse les branches, vérifie leur élasticité ; trop de raideur dans celles-ci, arbre rejeté. Il examine le tronc, la couleur des aiguilles, la blancheur du bois, l'odeur.

Seul le baumier trouve grâce à ses yeux. Halte aux horribles épinettes, ces conifères tout juste bons à mettre dehors. À l'intérieur, ils sèchent trop vite. La tête de l'arbre doit obligatoirement posséder quatre ramilles d'égale longueur formant un carré parfait. N'en a-t-elle que trois : rejeté ! L'arbre est-il mal proportionné : rejeté ; mal fourni : rejeté; inodore : rejeté.

Ce soir, le cérémonial n'a pas varié d'un iota. Il nous a fallu deux heures, visiter trois points de vente pour, en fin de compte, nous rabattre sur le premier et trouver celui que mon père convoitait. En ajoutant un bon cinq minutes de négociation sur le prix et dix autres pour l'installation sur le toit de la voiture, il était tout près de huit heures trente quand on se présenta enfin chez *Steinberg*[*] pour se procurer le lait, le pain et divers autres articles : pattes de porc, viande hachée de porc et de bœuf, cassonade, raisins secs, pommes, de la farine et du *shortening*[**], céréales, bananes et tout le fourbi.

Papa a décidé que, dès demain matin, il allait se mettre lui-même à la confection des tourtières, du ragoût de pattes et des tartes aux pommes et à la farlouche en remplacement de maman qui doit, plus que jamais, ménager ses forces.

— Un Noël sans tourtières, sans ragoût et sans dinde, prétend papa en payant la caissière tout en me décochant un large

---

* Steinberg : magasin d'alimentation à grande surface instauré à Montréal en 1934 par Sam Steinberg. Dans les années cinquante, le mot Steinberg est si connu qu'il entre dans le langage populaire. Ainsi, on ne disait plus « faire son épicerie », mais plutôt « je vais faire mon Steinberg ». L'enseigne Steinberg est disparue en 1989, dix années après la mort de son fondateur.

** Shortening (terme anglais) : gras végétal, de couleur blanche, à consistance solide, très utilisé en pâtisserie (ex : Crisco).

sourire et un clin d'œil complice, c'est comme un hiver sans neige !

Et nous sommes sortis de l'épicerie. On se rend à l'auto. Plus de voiture ! Qu'un espace vide au milieu du grand stationnement ! Papa en fait rapidement le tour pour finalement se rendre à l'évidence : on nous a volé notre fringante Ford station-wagon beige aux côtés rehaussés de superbes renforts de bois. La catastrophe !

Papa reste paralysé une longue minute sans trop savoir quoi faire, sans rien dire. Il a le dos quasiment plié en deux, le nez enfoui dans ses sacs d'épicerie qu'il tient contre lui comme si c'était sa dernière bouée pour ne pas sombrer dans la déprime totale. Moi, je le regarde, impuissant et déconcerté.

Finalement, papa se redresse. Je vois bien qu'il a pleuré, de rage sans doute, mais il a pleuré quand même. Bien que ce soit la nuit noire tout autour, j'ai bien vu ses yeux rougis et son regard de feu. Il dépose ses sacs sur le coffre d'une voiture.

— Surveille les sacs, Pierre-Paul. Je vais au magasin pour appeler la police. Je reviens tout de suite. Ne bouge pas d'ici !

Je ne bouge pas et je surveille bien les sacs d'épicerie. Mais une envie irrépressible de pisser me tombe soudain dessus sans crier gare. Je me rends au premier poteau un peu à l'écart pour me soulager. Trente secondes, pas plus, c'est le temps qu'il a fallu à la voiture sur le coffre de laquelle sont posés nos sacs pour démarrer sans que son conducteur se rende compte qu'il trimbalait notre épicerie.

Je n'ai pas pu me vider la vessie complètement. La braguette ouverte au grand vent, je me mets à courir derrière une auto en gesticulant et en criant pour qu'elle s'arrête.

C'est trop peu, trop tard ! Je vois l'automobile tourner le coin de la rue pour se glisser dans la circulation. Dans le virage, les sacs d'épicerie se payent une culbute au milieu de la chaussée. Un autobus qui vient derrière ne peut les éviter. Tout le contenu se fait écrabouiller sous les roues du mastodonte et se répand dans la neige fondue : pain, lait, fromage, bananes, viande, shortening, farine, le tout malaxé dans une pitoyable bouillie.

Si tantôt j'étais déconcerté, me voilà consterné avec, au fond du cœur, un profond sentiment de culpabilité. Quand papa revient, je ne peux rien lui répondre quand il me demande où sont passés les sacs d'épicerie. Je me mets simplement à chialer comme une fillette tout en m'excusant.

Dix minutes plus tard la police arrive. Le constat de vol est enregistré. Nous rentrons finalement chez nous, bredouilles et inconsolables. Plus d'auto, plus de sapin, plus d'épicerie, plus rien ! Adieu tourtières, tartes et ragoût de boulettes. Noël vient de fermer ses portes d'une manière cruelle et imprévue.

Quand nous rentrons à la maison à pied et les bras vides, maman nous accueille, inquiète et fébrile.

— Mais qu'est-ce qui vous est arrivé, pour l'amour du saint bon Dieu ? nous demande-t-elle en nous ouvrant la porte. Je me rongeais les sangs sans bon sens !

Papa s'est laissé choir sur une chaise de la cuisine avant de tout lui expliquer. La voiture volée, le sapin disparu, les sacs écrabouillés au milieu de la rue Jarry, la police, le constat rédigé, les magasins fermés ce qui explique qu'on n'ait ni lait ni pain pour le déjeuner du lendemain. Maman n'a rien dit. Nous sommes partis tous les trois nous coucher. Je me suis endormi en posant ma tête sur l'oreiller. Les émotions de la soirée m'avaient vidé de toute mon énergie.

Je me réveille en sursaut le lendemain matin. Papa vient de lâcher un grand cri au milieu du salon. Il est sorti en trombe de la maison, nu-pieds, sans robe de chambre, en simple pyjama. Il est rentré dix secondes plus tard pour chercher les clés de la voiture, puis il est ressorti dans le même accoutrement. Un immense sourire illumine son visage. Maman vient de faire son apparition dans le corridor qui sépare la chambre du salon.

La joue encore marquée par son oreiller, la chevelure tout ébouriffée, le regard brumeux, le ventre immense sous sa jaquette de flanelle, elle regarde mon père aller et venir sans tout à fait remarquer que la porte du vestibule est toute grande ouverte. Un vent froid s'y embusque en faisant voler les rideaux du salon.

— Mais qu'est-ce que tu fais ? Il est à peine six heures du matin, lui demande-t-elle au moment où papa s'apprête à franchir le seuil de la porte pour la troisième fois.

— La voiture est revenue, lance-t-il d'une voix radieuse en esquissant un pas vers maman. J'étais couché, à moitié endormi. J'ai entendu une portière d'auto claquer. Ensuite, j'ai entendu un bruit de pas de course sur le trottoir. Je me lève en vitesse, je me rends à la fenêtre du salon juste à temps pour voir une ombre tourner le coin de la rue en courant. C'est à ce moment-là que je me suis aperçu que l'auto était là avec le sapin sur le toit, juste en face de la maison.

— C'est merveilleux ! s'exclame maman en battant des mains comme le ferait un enfant à qui on annonce qu'on l'amène manger un cornet de crème glacée. Puis, au moment où papa vient pour sortir, elle l'interpelle.

— Marcel, tu n'as pas oublié quelque chose ?

— Oh oui ! lance-t-il en revenant vers maman. Excuse-moi, je suis si heureux. Je veux voir si la voiture n'a pas trop souffert de sa nuit blanche.

Sur ces mots, il embrasse maman sur la joue en ajoutant distraitement : « Alors, ma chérie, t'as passé une bonne nuit ? »

Maman reste là, abasourdie, alors que papa se dirige au pas de course vers la porte toujours ouverte.

— Mais Marcel ! Il ne s'agit pas de ça ! Tu vas vraiment sortir dans la rue en pyjama, en plein hiver, sans rien aux pieds ?

Papa s'est arrêté. Rapidement, il enfile ses bottes sans même prendre le temps de les attacher, attrape la robe de chambre que maman vient de lui lancer et sort de la maison en refermant la porte derrière lui. Un grand silence règne à présent dans toute la maison. Maman se tourne alors vers moi.

— Ne reste pas dans le corridor, Pierre-Paul ! Va te recoucher. Il fait nuit encore.

— L'auto est revenue toute seule ? que je demande tout bêtement, la voix embrouillée par un réveil qui refuse de chasser mon envie d'aller me recoucher sous les couvertures chaudes.

— C'est ça ! me répond maman d'une voix ironique. Elle est revenue toute seule, comme une grande fille.

— Avec le sapin ?

— Avec le sapin et ses quatre roues.

— Bon ! Comme ça, on n'a plus besoin de moi. Je vais me coucher. Bonne nuit !

Ce matin-là, on m'a laissé dormir tout mon saoul, jusqu'à neuf heures. Maman est devant la cuisinière en train de faire cuire les œufs et le bacon. Sur la table, du lait, des toasts, un petit plat de fèves au lard.

— Tiens ! fait maman en m'entendant approcher, les pieds traînant dans mes vieilles pantoufles. Te voilà enfin. Tu as bien dormi au moins ?

— Pas mal ! que je réponds en me grattant le fond de la tête. Papa est sorti ?

— Non ! Il est au téléphone.

Sur ces mots, papa apparaît dans la cuisine, de fort belle humeur.

— C'est terminé ? lui demande maman en se léchant les doigts couverts de beurre fondu. Ç'a été long. Ça fait une demi-heure que tu brettes au bout de la ligne. À qui tu parlais ?

— À la police! répond papa d'un ton détaché tout en se servant un café. Ils avaient un tas de questions à propos de la voiture, du vol, de tout ça... Ils vont envoyer une équipe après le dîner question de voir s'ils ne trouveraient pas d'empreintes sur la voiture. Ils m'ont dit de ne pas toucher à l'auto. Ils n'étaient pas de bonne humeur quand je leur ai dit que j'avais mis la voiture au garage... Ah oui ! Ils veulent aussi que je leur remette la lettre. Tu l'as mise où ?

— Sur le frigo.

— Quelle lettre ? que je fais avec détachement.

— Oh rien ! Celui qui a emprunté la voiture a laissé une lettre sur le siège du conducteur pour s'excuser. Il explique qu'il en avait besoin pour réaliser le rêve de quelqu'un. C'était signé : un père Noël trop pauvre... La police m'a demandé de leur remettre la lettre et l'enveloppe.

— Si l'auto est revenue, que je fais au milieu d'une bouchée de toast, pourquoi la police ?

— Pierre-Paul, je t'ai dit cent fois qu'on ne parle pas la bouche pleine, me reproche maman. Mange et tais-toi. Ce sont des affaires de grandes personnes. Ça ne te regarde pas.

— C'est parce qu'il paraîtrait, explique papa, que la voiture a été impliquée dans un vol bizarre.

— Ah oui ! s'inquiète aussitôt maman qui n'était pas, comme moi d'ailleurs, au courant de la chose. Un vol !

— Ouais, un vol ! C'est arrivé cette nuit dans un magasin de jouets de la rue Saint-Hubert.

— Des blessés ? Une grosse somme ?

— Pas de blessé, non ! Ça s'est passé en pleine nuit. Le magasin était désert... Les voleurs se seraient emparés d'une douzaine de boîtes de jouets avant

JOUETS

de partir sans laisser de traces sinon une serrure démantibulée et le système d'alarme bousillé. Ils n'ont pas touché aux tiroirs-caisses ni au coffre-fort. D'ailleurs, la porte du bureau où le coffre se trouvait n'a même pas été forcée.

— Quelqu'un qui avait besoin de cadeaux pour ses enfants, que je lance en mâchouillant ma toast au beurre d'arachide... Ça se peut, tu sais, papa ! Y'a des parents qui n'ont pas d'argent pour acheter des cadeaux à leurs enfants à Noël. Dans ma classe, l'année passée, il y en avait trois qui n'ont pas reçu de cadeau parce que leur père était au chômage. Ce n'est pas drôle, ça. Moi, je n'aimerais pas ça que ça m'arrive. Un Noël pas de cadeau, quand tout le monde autour en reçoit, ce n'est pas juste ! Et puis ce n'est pas un vrai Noël... Moi, je ne trouve pas ça juste qu'il y ait des pauvres. C'est vrai, hein papa ?

— T'as raison, mon gars ! admet-il. Mais ce n'est pas une raison pour aller en voler. Il faut toujours respecter la loi.

Je ne sais pas pourquoi, mais je n'ai pas aimé la réponse de mon père. J'ai eu l'impression qu'il donnait raison à tout le monde en évitant de prendre parti.

— Tu veux dire, papa, qu'on doit obéir à toutes les lois même si elles sont mauvaises ?

— Oui ! me répond-il après un instant d'hésitation. Si la loi est mauvaise, il faut se battre pour la changer, bien sûr, mais, entre-temps, il faut la respecter. C'est la loi !

— Alors, ça veut dire que si une loi nous dit qu'on doit tuer son voisin parce qu'il est Noir, on doit essayer de changer la loi, mais qu'on doit obéir à cette loi entre temps… Mais dans ce cas-là, papa, ça veut dire qu'il y a une bonne chance que lorsque la loi sera enfin changée, ça ne change pas grand-chose, parce qu'entre-temps tous les Noirs seront déjà morts !... Non ?

Papa m'a regardé un long moment comme si j'avais des pinces de crabe qui me sortaient par les trous de nez. Manifestement, il ne savait pas trop quoi répondre à mon objection.

— Mange ! Ton chocolat va refroidir, me dit alors maman. Marcel ! ajoute-elle en se tournant vers papa, on ne pourrait pas déjeuner en paix, et surtout, parler d'autre chose?

Maman m'a fait un clin d'œil au milieu d'un petit sourire complice. J'ai tout de suite compris qu'il partageait mon opinion. Devant une injustice, il faut savoir désobéir !

Quand les policiers sont venus pour inspecter la voiture, en fin d'après-midi, ils nous ont trouvés dans le garage, Lucien et moi, en train de la cirer. Quand papa est entré suivi des trois policiers, j'ai fait l'innocent. Je lui ai fait un grand sourire idiot et je lui ai lancé : « Coucou, papa ! On t'a fait une surprise. On a lavé toute la voiture, l'intérieur et l'extérieur. Comme ça, elle va être toute propre pour Noël. Parce que, là, l'auto en avait vraiment besoin ! T'es content ? »

J'ai bien vu que papa se pinçait les lèvres pour ne pas éclater de rire. Parce que les policiers, eux, ils ne trouvaient pas ça drôle, mais alors là pas du tout. Mais que pouvaient-ils faire devant un pauvre petit garçon, aidé de son ami, qui s'était donné autant de mal pour faire une surprise à son papa chéri.

C'est à ce moment que j'ai su que mon père était vraiment le papa le plus extraordinaire du monde. Quand le chef des trois policiers a dévisagé papa avec un regard assassin et qu'il lui a dit :

— On vous avait demandé de ne pas toucher à cette voiture. Comment voulez-vous qu'on retrouve des empreintes sur une auto qui vient d'être lavée et cirée ? C'est de l'entrave au travail des policiers, ça monsieur. C'est très grave !

Papa n'a pas paru le moins du monde démonté par les menaces du policier.

— Wow, minute, monsieur l'agent !

— Sergent, si vous le permettez !

— Je vous le permets ! Et je vous permets en même temps de vous rappeler que la victime ici, c'est moi.

— En êtes-vous bien certain ?

— Qu'est-ce que vous insinuez ?

— Je n'insinue rien. Je dis simplement qu'en tant que victime vous devez collaborer avec la police.

— J'ai collaboré. Hier soir, j'ai immédiatement appelé chez vous pour faire un rapport de vol automobile. Ce matin, je vous ai téléphoné à six heures pile, aussitôt que j'ai vu que ma voiture m'avait été restituée. On m'a dit de rappeler à huit heures. Ce n'est quand même pas de ma faute si la police ne répond aux citoyens qu'entre huit heures le matin et quatre heures de l'après-midi. Pardon, c'est une simple boutade. En tout cas, à huit heures, j'ai rappelé comme on m'avait dit de le faire. Une téléphoniste à moitié endormie m'a alors fait comprendre que personne n'était en mesure de prendre mon appel. J'ai rappelé à huit heures et demie.

— Bon, admettons ! fait le policier de fort méchante humeur. Mais on vous avait ordonné de ne pas toucher à la voiture !

— Je n'y ai pas touché, moi, à cette voiture, réplique papa sur le même ton. J'ai fait exactement ce que vous m'avez dit… Si c'était si important que ça, pourquoi vous n'êtes pas venus plus tôt ? Je vous ai appelé à huit heures ce matin. Il est quatre heures quarante-cinq de l'après-midi.

— On n'a pas que vous à s'occuper, monsieur ! On avait des affaires plus urgentes qui ne pouvaient pas attendre.

— Eh bien, c'est ça, monsieur l'agent…

— Sergent !

— Vous êtes quand même là huit heures après mon coup de téléphone. Tout ce qui traîne finit par se salir. Tout le monde sait ça.

— Justement ! La voiture, on la voulait sale.

— Eh bien, maintenant, elle est propre ! Tant pis ! À moins que vous ne décidiez d'arrêter mon fils pour avoir voulu faire une surprise à son père en lavant la voiture.

— C'était à vous de la surveiller, cette voiture !

— Et qu'aurait-il fallu que je fasse ? Hein ? Que je m'assoie devant et que je la fixe des yeux pendant huit heures ?

— Vous auriez pu avertir votre garçon de ne pas y toucher !

— Eh bien, j'ai oublié, voilà ! J'ai une femme enceinte, j'avais des commissions à faire, je suis en train de faire les tartes et les tourtières pour Noël. Alors, j'ai dit à mon garçon d'aller jouer dehors ! Dans la maison, à rien faire, c'est une vraie tornade ! Vous avez déjà essayé de faire des tourtières avec un gamin dans les jambes ?

— Non monsieur ! Je ne fais pas de tourtières, moi !

— Alors qu'est-ce que vous faites de vos journées ? Vous ne faites pas la cuisine et vous ne venez pas chez les gens quand c'est le temps ?

— Ce que je fais, monsieur, ça ne vous regarde pas !

— Très bien ! Alors qu'est-ce que nous faisons ici ?

Cette fois, le policier a semblé complètement pris de court. La discussion, malgré sa colère, ne le mènerait pas très loin. Il le savait. On n'arrête pas un citoyen parce que son petit garçon a lavé la voiture, même si c'est une voiture qui aurait pu avoir été utilisée pour commettre un crime, un crime qui, avouons-le ici, n'a pas tellement d'importance. Tout de même, il a décidé d'attaquer le problème en s'en prenant cette fois à la fameuse lettre.

— Et comme par hasard, la lettre aussi a disparu ? Décidément avec vous...

— La lettre, je ne sais pas où elle est passée. Je ne savais pas avant de vous appeler qu'elle avait autant d'importance. Je ne suis pas un enquêteur, moi, monsieur l'agent. Je travaille, moi. Je suis directeur de succursale de la Caisse populaire du quartier.

— Oui ! Eh bien ! Je vous conseille de la retrouver, cette lettre !

— Je vais la chercher. Et si je la trouve, je vous le ferai savoir. Mais avant, j'ai mes tartes et mes tourtières à terminer.

— Allez au diable avec vos tartes et vos tourtières ! Venez, vous autres, hurle le sergent à l'intention de ses hommes qui le suivent après avoir salué mon père avec un grand sourire aux lèvres.

Quand ils sont partis, papa s'est approché de moi, m'a pris dans ses bras et m'a serré très fort contre son cœur en riant.

Nous n'avons plus jamais revu ce sergent, ni reçu la visite d'aucun autre policier. Et plus jamais nous n'avons entendu parler de notre voleur de jouets. Je crois que les enquêteurs ont eux-mêmes décidé de classer l'affaire faute de preuves et d'envie de perdre leur temps et leur énergie pour un crime somme toute bien anodin.

Ce père Noël des pauvres est donc resté impuni. Je présume que les enfants de notre emprunteur d'auto, cette année-là, ont reçu de plus beaux cadeaux que moi. Et, c'est bien là, je crois, le beau cadeau que j'ai reçu moi-même. Celui d'avoir contribué, par des moyens, je l'avoue pas très catholiques, à mettre un peu de justice dans ce monde.

Bien au chaud entre mon père et ma mère, devant ces tourtières odorantes et la dinde juteuse, ce Noël 1962 reste à mes yeux l'un des plus merveilleux que j'ai vécus.

Pour les cracks d'Histoire

La fête de Noël : Ah ! Noël, Noël, Noël ! On en parle pendant des mois et on en rêve dès que la première neige fait son apparition. Mais sais-tu pourquoi on célèbre Noël le 25 décembre ?(...) Bip ! Erreur ! Ce n'est pas l'anniversaire de la naissance de Jésus de Nazareth. Personne ne connaît la date exacte de la naissance du Christ. En tout cas, sûr que ce n'est pas le 25 décembre. Certains croient d'ailleurs que Jésus serait né début avril en l'an 6 de notre ère.

Noël est célébré le 25 décembre depuis l'an 336 (l'année est contestée par certains chercheurs, mais cela vous donne une bonne idée de ses origines lointaines, situées à la toute fin de l'empire romain).

Le mot Noël vient du mot latin (langue des Romains) « natalis » signifiant « naissance ». Par ailleurs, le mot Noël tel que nous le connaissons serait apparu en littérature en 1112 et proviendrait d'un vieux mot français, « nael ». On aurait simplement remplacé le « a » par un « o » et ajouté le tréma sur le « e ».

La date du 25 décembre a été choisie par les anciens Chrétiens afin de faire correspondre la célébration de la naissance du Christ à une fête très importante chez les Romains de l'époque, la « Sol Invectis » ou « soleil invaincu » qui soulignait, par de grandes festivités, le solstice d'hiver et qui correspondait à la renaissance du soleil, au retour des jours longs. Une fête de la lumière en quelque sorte. Comme pour les Chrétiens, Jésus était venu dans le monde pour nous apporter la lumière de Dieu, cette date allait de soi.

Le sapin de Noël dont il est question dans cette histoire n'a pas toujours fait partie des célébrations de la fête de Noël. Beaucoup de légendes circulent à son sujet. Je vous transmets la plus ancienne, celle rattachée à Saint-Colomban, un moine missionnaire qui était parti de son Écosse natale pour venir convertir les populations de la Gaule (France actuelle) dans l'année 575. Il se promenait de village en village pour raconter l'histoire de Jésus aux habitants.

Un jour, on était dans les derniers jours précédant la fête de Noël, Colomban s'arrêta dans un très joli village. Mais personne ne se dérangea pour venir l'écouter. Alors Colomban monta sur la plus haute colline où se trouvait un énorme sapin. Avec ses amis, car Colomban ne voyageait pas seul, il accrocha aux branches du sapin plusieurs dizaines de lanternes et, le soir venu, il les alluma toutes. Le sapin, qui était vraiment gigantesque, resplendit dans la nuit. Cela éveilla la curiosité des villageois qui se pressèrent en haut de la colline pour admirer le prodige. Rassemblés autour de l'arbre, les gens écoutèrent l'histoire que leur raconta Colomban. On dit que les gens furent très impressionnés autant par l'arbre que par l'histoire de la naissance de Jésus. Plusieurs se convertirent à la nouvelle religion. Depuis, le village prit l'habitude, chaque veille de Noël, d'installer un sapin sur la grande place du village qu'ils décoraient avec de petites lanternes accrochées à ses branches.

Les cadeaux de Noël : Il semble que l'échange de cadeaux ait de tout temps été associé à la fête de Noël. À l'origine, il s'agissait essentiellement de nourriture et de vêtements qu'on distribuait aux miséreux. Noël était une fête de partage et de générosité.

Cette coutume serait rattachée à la légende des Rois Mages. Au nombre de trois (Gaspar, Melchior et Balthazar), ceux-ci auraient offert à l'enfant Jésus trois cadeaux : de l'or, de l'encens et de la myrrhe. De l'or comme à un roi, car les Chrétiens considèrent Jésus comme le Roi des cieux. L'encens est une poudre aromatique qu'on destinait aux dieux. Or, pour les Chrétiens, bien sûr, Jésus est Fils de Dieu. Quant à la myrrhe, il s'agit d'une huile fortement aromatique dont on enduisait le corps d'un défunt pour camoufler l'odeur de putréfaction, mais surtout pour le purifier et lui faciliter l'accès au Paradis. La myrrhe, un produit extrêmement onéreux, était donc destinée aux humains mortels. Or, pour les Chrétiens, Jésus, tout en étant Roi et Fils de Dieu, n'en était pas moins un homme, d'où le choix de la myrrhe.

Et voilà, chers amis, la signification des trois premiers cadeaux de Noël : l'or, l'encens et la myrrhe. JOYEUX NOËL !

2

La petite sœur

8 janvier 1963

Elle est née avec dix jours de retard. Et ça ne s'est pas du tout passé comme je l'imaginais.

— Avoir une petite sœur, ce n'est pas une chose facile, m'avait affirmé oncle Théo quelques jours auparavant. Un garçon, tu tires dessus et hop ! le voilà ! Mais une fille, tu parles ! C'est tout délicat. Ça fait des caprices. Et ça se pomponne avant de paraître, et ça se fait désirer.

Ces considérations qui apparentaient la naissance des garçons à un jeu de souque à la corde où celui qui tire le plus fort l'emporte m'épouvantèrent. L'image d'un minuscule bébé qu'on tire pour sortir d'on ne sait où, car, sur ce point, l'oncle n'avait apporté aucune précision, m'apparut vraiment cruelle. Ne risquait-on pas de le déchirer en morceaux, le pauvre enfant, comme il arrive qu'on le fasse d'une poupée de chiffon ?

Je n'en dormis pas de la nuit.

Ces confidences de l'oncle Théo avaient été faites un certain samedi de décembre alors que maman endurait ses premières contractions. On dut l'étendre sur son lit et tante Romane passa une bonne demi-heure à lui éponger le front avec une serviette froide.

Contractions ! Voilà un autre mot qui s'ajoutait aux autres et qui compliquait drôlement les choses. Qu'étaient-ce au juste que ces fameuses contractions ? Les adultes présents en avaient parlé toute la soirée sans que j'eusse la moindre idée de ce dont il était question.

Mais, comme on avait soigné ma mère avec une serviette d'eau froide appuyée contre sa nuque, j'en déduisis que c'était un mal de tête. Et pendant quelques minutes, je me demandai si ce n'était pas par la tête de la mère que le bébé venait au monde. Ce qui expliquerait, entre autres choses, pourquoi les femmes portent les cheveux si longs comparativement à nous, les hommes, qui les portons très courts. Sans doute est-ce pour camoufler pudiquement, sur leur protubérance occipitale, le lieu sacré et secret par où sortent les bébés.

Mais après la palpation de mon propre occiput, la chose m'apparut ridicule. Constatant la dureté du lieu et le peu d'espace pour y camoufler une quelconque ouverture, j'en conclus que la tête n'avait rien à voir avec la mise au monde d'un bébé.

Quoi qu'il en soit de ces considérations, elle vint tout de même au monde, ma petite sœur. Toute rose et mignonne, sans dents et toute ridée, ce qui la faisait presque ressembler à la vieille Fournier, mais en bien plus jolie bien sûr. Elle naquit avec dix jours de retard comme j'ai eu l'honneur de vous le dire au début de cette chronique.

Pourquoi ce retard ? Je n'en sais rien. Il semble bien que l'oncle Théo ait eu finalement raison en affirmant que la naissance d'une fille était infiniment plus compliquée que celle d'un garçon. Ces dix jours avaient représenté pour ma mère et mon père un véritable supplice. Ces jours furent décomptés par ma mère en heures d'abord, en minutes et en secondes ensuite. Et ces dix jours semblèrent l'épuiser plus que les neuf mois de gestation réunis.

Il semblerait que, pour une naissance réussie, il faille attendre le docteur pour que tout se fasse dans les règles. Oui ! Même pour la naissance d'un bébé, il y a des règles à suivre. J'imagine que c'est un peu comme mettre une lettre à la poste ou plutôt un paquet. C'est Lucien qui m'a tout expliqué. Tout ça est un peu compliqué, aussi vais-je essayer de vous l'expliquer en étant le plus clair possible. Alors voici, je commence.

Au tout début d'une grossesse, la maman et le papa doivent se rendent chez un docteur patenté, qu'il m'a appris, le Lucien. Ça, bien sûr, je le savais puisque je les avais accompagnés une fois. Cette rencontre est faite dans un but bien précis : fournir aux parents une date de livraison pour le bébé. Ça aussi, je peux le confirmer car, de retour de la clinique, maman avait annoncé la date de livraison à ma tante Romane qui était venue pour me garder : c'était le 28 décembre prochain.

Cette étape est super importante. Car, un bébé, c'est comme pour tout, il faut un minimum d'organisation, sinon c'est l'anarchie dans les livraisons. Imaginez que les parents ne soient pas présents à la maison au moment de la livraison, qu'est-ce qu'on fait avec le bébé ? C'est comme ça que des erreurs se produisent et qu'un bébé se retrouve dans la mauvaise famille et vice versa.

Mais tout ne s'arrête pas là, me fit comprendre Lucien qui tenait l'information de sa mère. Ensuite, il faut bien suivre le courrier, paraît-il. Les parents doivent retourner chez le médecin régulièrement pour savoir où en est rendu le paquet et pour vérifier que la date de livraison tient toujours. Parce que, m'a-t-il encore précisé, le Lucien, il y a souvent des retards dans la livraison en raison de la température ou d'une adresse mal indiquée ou tout simplement à cause d'une erreur d'aiguillage dans le tri des bébés.

Ses explications me parurent pour le moins étranges. Car, tout de même, le bébé, il était bien dans le ventre de la maman. Et il poussait là comme une petite graine dans un jardin. Ça au moins, papa me l'avait expliqué. Alors, que venaient y faire le postier et son paquet ?

— Mais voyons, m'a répondu Lucien après que je lui eus fait part de mon objection. Réfléchis un peu, Pépé ! La lettre aussi est dans une enveloppe, mais il n'en faut pas moins un facteur pour la livrer, cette enveloppe, si on veut que le destinataire puisse lire la lettre contenue dans cette enveloppe. Non ? Ben, c'est pareil pour les bébés. Et pis, pour un bébé c'est encore plus compliqué, tu comprends. Faut qu'il soit super bien enveloppé. Alors faut prendre le temps de bien faire les choses, trouver la bonne boîte, le papier de soie de la bonne couleur ; bleu pour un garçon, rose pour une fille, c'est bien connu. Parce qu'un bébé, ça se livre dans de la soie et rien d'autre. Et puis faut bien le ficeler, le peser, le timbrer. Et puis, les lignes de distribution sont souvent surchargées. On ne peut pas, comme ça, décider de tout comme on veut. Faut faire la file, attendre son tour. Et puis il faut le temps de vérifier si tout est correct… Tout ça ne se fait pas en criant ciseau. Et puis aussi, faut bien le dire, mon gars, les docteurs, c'est gourmand. Ils aiment se faire payer pour leurs services. Alors, plus souvent tu y vas, mieux c'est pour leurs affaires.

Je regarde mon phénomène de Lucien.

— Et tout ça, ce que tu racontes, ça se fait dans le ventre de la mère ?

Alors de son air le plus supérieur qu'il puisse se fabriquer, il répond :

— Tu sais, mon vieux, faut pas chercher à tout comprendre. La naissance d'un bébé, c'est un grand mystère. N'oublie pas que t'as sauté ta deuxième année. T'as un an de moins que moi. Alors, du coup, c'est certain que tu ne peux pas encore tout comprendre.

Cette objection quant à mon âge, bien que blessante, était tout de même à considérer.

Aussi, sur le coup, les explications postières de mon fanfaron de Lucien calmèrent un peu ma curiosité. Mais le temps faisant, les doutes me submergèrent à nouveau. Il me fallait à tout prix trouver, au mystère de la naissance, des explications moins folichonnes.

Il faut vous dire, mes chers amis lecteurs, qu'à cette époque, les informations qu'on donnait aux enfants concernant les mystères de la procréation étaient on ne peut plus fantaisistes.

Grand-père me parla des Sauvages qui livraient les bébés à domicile sans préciser ni comment ni pourquoi.

Tante Romane élabora un long préambule cosmique pour en venir aux cigognes, ces besogneux volatiles au bec très long qui laissaient tomber les bébés par la cheminée de la maison comme un vulgaire père Noël.

Quant à papa, fier et tout rouge de son savoir, il se débattit du mieux qu'il put avec les abeilles et les fleurs pour ensuite se réfugier dans les choux et les roses où, prétendait-il, se cachaient les bébés garçons pour les uns et les bébés filles pour les autres. Bref, je ne fus guère plus avancé à la fin que je ne l'étais au début de mes recherches.

Je me mis alors à formuler mes propres hypothèses, plus scientifiques les unes que les autres. Une pilule contenant une petite graine de bébé qui se déploie dans le ventre de la maman en se dissolvant pendant les neuf mois que dure la grossesse avant de tomber en pleine nuit dans un berceau, tout rose et parfumé à la poudre *Baby's Own*. Ou alors une recette alchimique mêlant ceci et cela dans une mixture à base de chou et de pétales de roses dans laquelle flotte un cocon où se forme un bébé fille ou garçon selon qu'on met plus d'essence de chou ou d'essence de rose. Ou bien, plus probable, une intervention chirurgicale faite par le docteur pour implanter le bébé dont le sexe se déploie en fonction de la position qu'il occupe par le haut ou par le bas.

J'imaginai aussi que la salive que s'échangeaient papa et maman dans leurs longs et profonds baisers était peut-être au cœur du processus. Car j'observai avec une attention toute mathématique que mon père et ma mère s'embrassaient de plus en plus souvent et de plus en plus longtemps depuis que le bébé avait fait son apparition dans le décor familial en avril dernier. Peut-être était-ce de cette façon que les morceaux du bébé, une fois tout bien préparés dans l'atelier du ventre du papa, passaient de la bouche de celui-ci à la bouche de celle-là. Suffisait ensuite que la maman avale le morceau, un bras, ou une jambe, un pied ou une main, le cœur, les reins, enfin tout quoi, et que la maman aille le coller à la bonne place sur le bébé. Une fois tout formé, le bébé trouvait le moyen de sortir par le premier trou qu'il voyait, les oreilles, le nez, la bouche ou les autres ouvertures que je ne suis pas autorisé à évoquer parce que ce ne sont pas des mots très jolis à dire.

D'autres observations conjuguèrent leurs efforts pour augmenter mes connaissances concernant les phénomènes qui entourent la grossesse et la naissance des enfants.

Le nombril me posait un fameux dilemme depuis le jour où Lucien m'avait révélé que le nombril était un élément important dont il fallait tenir compte quand on abordait la délicate question de la grossesse. Quand je lui demandai quel était ce rôle si particulier, il se borna à me dire qu'il ne pouvait tout de même pas tout me révéler, comme ça, gratuitement.

— Ce serait trop facile, affirma-t-il du haut de ses treize ans. Il y a des choses, mon gars, que tu devras apprendre par toi-même.

Je me dis que le conseil était judicieux d'autant que, jusqu'à maintenant, mes propres recherches m'avaient apporté plus de satisfaction que toutes les explications potagères, ornithologiques ou amérindiennes que m'avaient fournies l'une ou l'autre des personnes que j'avais consultées.

Rapidement, le mystère du nombril se dissipa. Toutes mes observations débouchèrent sur le même constat : le nombril n'était rien de moins qu'un système de communication entre l'extérieur et l'intérieur du ventre maternel.

C'est une suite d'observations qui m'amena à cette conclusion.

Mais pour bien saisir toute l'intelligence de ce raisonnement, peut-être faut-il vous révéler quelques détails concernant la vie du fœtus dans le ventre de la mère. Voici de quoi il retourne.

Il faut comprendre que le fœtus, c'est comme un petit singe accroché à une branche. Sauf qu'ici c'est un bébé accroché à un os qui dépasse dans le ventre de la mère. Pour l'aider à rester accroché, il y a une *place en tas*[*] qui fait une grosse boule comme un coussin moelleux qui tient le bébé par son petit derrière. Comme ça, le bébé ne se fatigue jamais.

Le nombril là-dedans ? me demandez-vous. Eh bien, le nombril, c'est un long cordon qui attache tout ça ensemble : le bébé à sa branche, le coussin au derrière du bébé et tout le paquet au ventre de la mère.

Jusque-là, vous me suivez ? Oui ? Bien. Continuons.

Et qu'en est-il du téléphone ?

J'y arrive.

Bon ici, approchez-vous. J'ai un grand secret à vous dire que personne n'a jamais voulu me raconter. Le bébé, il faut bien qu'il sorte un jour ou l'autre, et par la bonne porte. Nous sommes bien d'accord ?

---

* Place en tas : il s'agit bien sûr ici d'une déformation du mot placenta, tissu formant une espèce de coussin auquel s'accroche l'embryon du fœtus. Le placenta va procurer au fœtus tous les nutriments et l'oxygène nécessaires à sa croissance pendant la durée de la grossesse.

Bien ! Pour ça, il faut que le bébé trouve son chemin dans le noir du dedans. Mais le chemin à suivre, le bébé, il ne le connaît pas. Alors, il faut bien que quelqu'un lui dise par où passer. Eh bien, c'est par le nombril que ça se passe.

Qu'est-ce que j'ai à vous dire de si secret ? Ah oui, c'est vrai, le secret ! J'allais l'oublier. Le secret, c'est que je sais par où passent les bébés pour sortir. J'ai imaginé un petit moment que c'était peut-être par le nombril. Mais je me suis ravisé. Bien trop petit pour laisser passer un nourrisson.

Alors, j'ai cherché et j'ai trouvé. C'est par le vagin des mamans qu'il sort, le bébé. Pas tellement le choix, remarquez ! C'est la seule porte qui reste dans ce coin-là. Mais pour s'y rendre, hein ? Pour s'y rendre, le bébé, vers la porte, comment il fait ?

C'est très simple, on lui téléphone et on lui donne les instructions.

Il m'a fallu un certain temps pour le comprendre. J'y suis arrivé en observant mon père. À quelques reprises, je l'ai vu tout vautré sur le gros ventre de maman, la bouche collée à son nombril qui s'adressait au bébé. Tout près qu'il était. Et tout doucement qu'il parlait, comme pour caresser le bébé avec sa voix.

Mais cette seule observation ne me suffit pas à comprendre le mystère du nombril. Il fallut qu'une information fort importante me parvienne pour qu'enfin la lumière se fasse. J'appris, grâce à mon enseignant qui s'y connaît en chats et en nombrils, que la maman chat, une fois qu'elle a mis ses bébés au monde, les lèche pour les débarrasser de leur mucus et s'attarde ensuite à couper le cordon ombilical.

Sur une question de Michel, il nous expliqua que le cordon ombilical c'était un long tube qui rattachait le bébé par son nombril au ventre de la maman. Il nous dit que c'était la même chose pour tous les animaux mammifères. Et donc que c'était aussi le cas pour les êtres humains. Pareil, précisa-t-il, parce que l'être humain fait lui aussi partie du règne animal.

— Ô mais attention ! nous prévint-il, un animal doué d'une âme et d'une intelligence, ce qui en fait bien sûr un être exceptionnel créé à l'image de Dieu. Mais ça n'empêche qu'il fait partie du règne animal, un animal mammifère en raison de ses cheveux.

Ce même soir, dans mon lit, je me suis mis à examiner cet étrange cratère qui décore si joliment le bas de notre ventre et qui, de prime abord, ne semble servir à rien. Et là, j'ai observé que le trou du nombril avait la forme d'un minuscule entonnoir, comme les cornets des anciens téléphones, vous savez ceux qu'on voit dans les émissions de télé qui parlent de l'ancien temps de mon grand-père.

Et c'est là que j'ai compris. En ajoutant à ce microphone *nombrillaire* le cordon ombilical de mon enseignant et en rattachant l'autre bout du fil au bébé dans le ventre de la mère, la nature venait de s'inventer son propre téléphone. Dès lors, toute cette gymnastique de la bouche de mon père collée au nombril de ma mère, ces mots, doux comme des plumes d'ange, prenaient un sens. C'étaient des conversations téléphoniques avec le bébé. Une manière d'informer le petit singe de ce qui allait arriver, de lui expliquer tout doucement pour ne pas qu'il prenne peur de ce qu'il devrait faire le moment venu afin de passer de la nuit au plein jour. Le nombril, c'était une ligne téléphonique directe avec le fœtus. Voilà ! Alors, quand le temps est venu de le mettre au monde, le bébé, le papa se penche sur le nombril et il appelle le bébé qui se traîne à quatre pattes dans le tunnel jusqu'à l'extérieur du ventre de la maman pour ensuite tomber tout droit dans les bras du docteur.

Voilà ! C'est pas plus compliqué que ça !

C'est pas plus compliqué que ça, mais ce n'est pas du tout ce qui s'est passé ! Premièrement, ça s'est passé en pleine nuit, entre le rêve et la réalité, entre une maman qui hurle, une tantoune évanouie et mon père qui me demande de nettoyer le plancher.

— Ta mère a perdu ses *os**, qu'il me dit. On doit se rendre à l'hôpital en vitesse. Ta petite sœur s'en vient.

Sur le coup, je me suis demandé pourquoi ils partaient puisque la petite sœur arrivait. Et puis, je me suis dit que ce n'était pas le moment d'étaler mon ignorance. Les explications viendraient sans doute plus tard.

La demande de papa de ramasser les os perdus par maman, m'étonna. « Ah tiens ! me dis-je. *Des os, il y en a donc plu-*

---

* Perdre ses eaux (et non ses os) : un peu avant une naissance, la maman doit évacuer le liquide amniotique (eau translucide ou légèrement marron, jaunâtre ou verdâtre) qui protège le bébé à l'intérieur du placenta. L'écoulement des eaux est tout à fait normal et constitue la première phase de tout accouchement.

sieurs. » Et je me figurai que le petit singe vivait dans le ventre de la maman comme dans un arbre, avec plein d'os auxquels il peut s'accrocher comme à des branches.

J'attendis que mon père et ma mère aient quitté la maison avant de me mettre à la recherche des *os*. Mais je fus retardé par tante Romane qui se remettait tant bien que mal de son malaise. Elle avait couru vers le bol de toilette pour y vomir son reste de souper. Elle était toujours accroupie devant la cuvette. Elle me regardait, pâle comme une statue de plâtre.

— Prends la moppe*, me dit-elle. Mets de l'eau dans une chaudière avec un peu d'eau de javel. Et va ramasser le dégât.

— C'est où ?

— La moppe ? Ben, je ne sais pas trop…

— Non. Je parle du dégât.

— À… Ahhhh !... À côté du lit.

Puis elle se remit la tête dans le bol de toilette et elle continua à vomir. Je la laissai à son lessivage d'estomac. Je pris

---

* Moppe : du mot anglais *mop*, *to mop* signifiant balai ou éponger. Le mot français correspondant est serpillère (qui n'était pas en usage à l'époque, ni même aujourd'hui) ou vadrouille (ce mot, par contre, était connu et utilisé).

le sceau et la vadrouille. Mis de l'eau tiède et de l'eau de javel en me demandant à quoi une vadrouille humide et un sceau d'eau pouvaient bien servir pour la cueillette d'un petit tas d'os.

Je compris vite. Près du lit, je trouvai une grande flaque d'eau vaguement verdâtre.

« Ta mère a perdu ses os », m'avait dit papa. Mais ***os*** devait s'entendre ***eaux***. Du coup, le petit singe était devenu un poisson, et le gros arbre du ventre de maman, une espèce d'aquarium.

Et j'en fus quitte pour tout éponger. Et j'en fus quitte aussi pour revoir toutes mes théories sur la naissance des bébés. Mais à deux heures du matin, entre une tante vomissante, des parents absents et une petite sœur naissante, le temps n'était plus aux supputations.

J'essuyai, nettoyai, rinçai et vidai la chaudière, rangeai la vadrouille. Préparai un thé chaud pour tante Romane qui se traîna de peine et de misère jusqu'à la table de la cuisine.

— Finalement, Dieu merci, je n'accoucherai jamais ! lâcha-t-elle d'une voix à peine audible. Quand j'ai vu l'eau lui couler entre les jambes comme une rivière, je n'ai pas pu supporter. Je ne peux pas supporter la vue du sang.

— Y'avait pas de sang, ma tante.

— Ben, tant mieux ! Mais je n'ai pas pu voir…

Je lui servis son thé avec un nuage de lait. Elle le brassa avec la petite cuiller. Prit une gorgée qu'elle sapa, puis une seconde, cette fois avec un peu plus d'aplomb. Elle leva les yeux vers moi. Son visage avait repris un peu de couleur. Elle me fit un sourire puis me caressa la main.

— T'es un vrai petit homme, toi, alors ! Tu nettoies tout sans tourner de l'œil et tu prends soin de ta vieille tante qui était justement ici pour s'occuper de toi pendant la grande livraison… Merci, mon beau Pépé. Merci mon grand !

Elle se leva en me jetant un clin d'œil amical. Elle ouvrit le frigo. Elle me donna une pointe de tarte aux pommes avec de la crème glacée et un grand verre de lait. Elle accepta même une bouchée que je lui tendis et puis nous allâmes nous coucher.

— Le mieux qu'on puisse faire pour le moment, dit-elle en me bordant, c'est de dormir. Quand le téléphone sonnera, c'est que tout sera fait.

Alors, elle s'étendit sur le divan du salon et elle se mit à ronfler. Moi, il me fallut un certain temps avant de retrouver le sommeil. Une fois endormi, je rêvai à un singe qui pêchait dans un aquarium rempli de poissons couleur peau de bébé.

On dormit jusqu'à dix heures. On se réveilla avec l'arrivée de papa. Il avait la barbe longue, le visage tout plissé de fatigue, les yeux presque jaunes. Mais il souriait. Il ne dit rien. Tante Romane et moi, on lui posa un tas de questions auxquelles il répondit simplement : « T*out va bien. Tout va pour le mieux. Maman se porte comme un charme. Mais elle est fatiguée.* »

Puis, plus rien. Il se tut. La tante s'obstina à lui ravager la cervelle avec ses questions pressantes. « Pis la petite ? Ça s'est passé comment ? T'avais dit que tu appellerais *quand tout serait fait. Pourquoi t'as pas appelé, gros bêta ?* »

Mais ça ne servit à rien. Papa s'était presque écrasé la face sur la table. Il avait fermé les yeux, tout prêt à s'envelopper de sommeil.

— Ah, non ! fit la tante. Tu ne vas pas nous dormir dans face pendant que ton fils et moi, on crève de curiosité de savoir... Pépé, sors le pain, les bines, les œufs et le bacon. Un bon petit déjeuner va nous faire le plus grand bien. Mais avant, Charles, pour l'amour, va te décrasser de ta nuit blanche. Va prendre une bonne douche. Ça va te réveiller. Parce que nous autres, on veut savoir.

Papa ne répondit pas. Je vis son corps remuer presque malgré lui. Il se dirigea vers la salle de bains. Il y resta enfermé tout près d'une demi-heure. Il en sortit pour aller passer une chemise propre. Il revint dans la cuisine. C'était un autre homme qui s'est assis à la table. Lavé, rasé, peigné, il semblait beaucoup plus détendu. La fatigue qui ravageait son visage à son arrivée semblait avoir disparu.

Tante Romane lui servit son assiette, puis la mienne, puis la sienne. Elle ne l'accabla pas de ses questions. Le laissa manger et boire son café sans le distraire. Nous le regardions cependant sans sourciller. Nous attendions qu'il se décide à parler.

— Les douleurs ont duré cinq heures, finit-il par dire tout en avalant un œuf d'une seule bouchée avec des fèves au lard et un morceau de toast. Ta mère, mon garçon, c'est tout un phénomène. Je

n'ai jamais entendu autant de gros mots sortir d'une aussi petite bouche. En tout cas ! C'est quand même une femme courageuse… (Nouvelle bouchée de pain, bacon et fèves au lard, une gorgée de café.). Puis on l'a installée dans la salle d'accouchement à huit heures. À huit heures trente, la petite sœur est venue au monde. Ta mère et moi, on a pleuré de joie en constatant qu'il avait tous ses doigts, tous ses orteils et que chaque morceau était bien à sa place. Qu'il était en bonne santé et vigoureux.

— Comment ça, ***il*** ? demanda tante Romane à qui l'usage du pronom erroné n'avait pas échappé. Ce n'est pas une fille que tu disais ?

— C'est bien ce qu'on pensait. Germaine avait tous les symptômes… Elle portait haut, l'enfant était plutôt tranquille dans son ventre.

Tante Romane se mit à rire.

— Mais, mon pauvre Charles, qui a bien pu te raconter des histoires pareilles ?

— Ben ma mère ! répondit papa un peu décontenancé par le rire tonitruant de tante Romane qui semblait se moquer de sa crédulité. Et puis, ta sœur a consulté une tireuse de cartes au début de sa grossesse. Elle a été tout à fait formelle. Elle a affirmé sans l'ombre d'un doute que Germaine attendait une fille.

— Mais mon pauvre Charles, tu ne vas pas me dire que tu crois aux cartomanciennes ou à ces histoires de portage de bébé. Le ventre plus haut ou plus bas, rond ou pointu, plus avant ou plus étendu sur les hanches, ce sont des histoires de grand-mère. On est rendus au bord de l'an deux mille ! Seigneur ! Dépêchez-vous d'évoluer un peu !

— Bon t'as fini de rire, là ? s'offusqua papa. Sinon, moi, je vais me coucher. Ta réponse tu te la fabriqueras, toi-même.

— Non, non ! Vas-y, mon beau Charles. Je me tais et je t'écoute.

— Quand le docteur a déposé le bébé dans les bras de Germaine, on s'est mis à brailler tous les deux et puis on a tout de suite compté les morceaux pour être certain que le bébé était bien complet. C'est là, qu'on a trouvé un *petit jésus*.

— Un petit jésus ? s'étonne tante Romane en écarquillant les yeux.

— Eh ben oui ! Un petit jésus ! Une petite quéquette. La fille qu'on nous annonçait s'est finalement révélée être un garçon. Et un fameux braillard, je peux te le dire !

— Ben oui, j'avais compris. Ce que je veux dire, c'est que le docteur ne vous a pas dit que c'était un garçon quand l'enfant est arrivé ?

— Il nous l'a peut-être dit, mais on était tellement dans le brouillard, Germaine et moi, qu'on n'avait rien entendu.

Papa se tourna alors vers moi et me fit un grand sourire.

— Il va s'appeler Julien. C'est ta mère qui a choisi son nom... Alors, Pierre-Paul, t'es content ? Un petit frère, c'est bien ! Comme ça tu n'auras pas à jouer à la poupée.

Je savais que j'aurais dû être content. Je savais que j'aurais dû lui rendre son sourire à papa. Mais je ne pouvais pas. Quelque chose venait de s'installer en moi qui me garrotait le cœur, une chose dont je ne soupçonnais même pas l'existence : la jalousie ! La peur aussi ; celle que cet usurpateur pas encore vieux d'un seul jour ne vienne me voler ma place, celle qui avait toujours été la mienne : la première !

Celui-là, il n'avait même pas encore mis l'ombre d'un orteil dans la maison que déjà je n'existais plus. Je voyais bien, dans le regard de mon père, que le petit frère prenait toute la place. Et puis quel beau nom on lui avait trouvé : Julien ! Pour lui, bien sûr, ils s'étaient forcés. Tandis que moi, j'avais dû me le fabriquer moi-même, mon prénom.

Dire que c'est moi qui ai peinturé sa chambre, au petit frère ! Lilas, qu'elle est sa chambre, avec un beau berceau fleuri que maman a tout décoré comme si c'était un char du défilé de la Saint-Jean-Baptiste. Tant que c'était pour une petite sœur, ça pouvait toujours aller. Mais pour un petit frère... Je me suis bien fait avoir, allez !

Alors, je quittai la table et je m'enfermai dans ma chambre. Je pleurai de rage et de peur. Les images de la grande chicane qui avait opposé mon grand-père à son fils aîné au mariage de tante Romane, l'été dernier, dans la voiture en se rendant à la noce revinrent me hanter*.

Papa vint me rejoindre dix minutes plus tard. Il s'étendit sur le lit à mes côtés. Il me prit dans ses bras et il me dit :

---

* Voir *Pépé camisole et tous les matins d'été*.

— Julien est vraiment très beau. Et je l'aime très fort. Lentement, vous allez faire connaissance et vous allez apprendre à vous aimer. Ça va venir tout doucement. Mais dis-toi bien, Pépé (*eh oui ! il m'avait appelé Pépé !*), que dans mon cœur et dans celui de ta mère, tu seras toujours le premier. Ça, personne ne pourra jamais te l'enlever.

Et puis papa s'endormit avec moi tout contre lui. Nous dormîmes jusqu'au milieu de l'après-midi. Puis je l'accompagnai à l'hôpital. J'avais hâte de revoir maman. Quand elle m'aperçut dans le cadre de la porte, elle se mit à pleurer. Je courus vers elle et me jetai dans ses bras. Elle me serra si fort sur son cœur qu'elle faillit m'étouffer. Une garde-malade apporta ensuite le bébé dans la chambre pour que maman le fasse boire. Je l'aperçus au milieu d'un tas de couvertures blanches et bleues. Il tétait son poing.

Papa me le mit dans les bras. J'étais bien embêté. C'était la première fois que je tenais un être aussi fragile dans mes bras et je me demandai ce que j'avais tant à craindre de lui. Alors, le Julien, il ouvrit ses yeux, il remua la tête. Ses lèvres minuscules esquissèrent un furtif sourire et il se rendormit.

Voilà ! Sans m'en rendre compte, tout doucement, je tenais pour la toute première fois un petit frère dans mes bras. Et je dois bien avouer qu'il était tout joli et tout mignon comme je l'avais imaginé !

Et c'est à ce moment que je découvris enfin ce que j'avais tant cherché ces derniers mois : le mystère entourant la naissance d'un bébé. Ce n'est pas compliqué. Tout tient en un seul mot : **l'AMOUR !** Le reste, c'est juste de la mécanique !

3

1963

1962-1963 : le Canadien de Montréal connaissait une saison en dents de scie. Le départ de Maurice Richard avait laissé un vide que personne ne pouvait combler, ni son frère Henri, ni Boum Boum Geoffrion, ni non plus le capitaine Jean Béliveau. Celui-là, plusieurs amateurs le trouvaient nonchalant en raison de son style de jeu un peu trop fantaisiste à leur goût. On lui donna le surnom de Gros Bill. Pourquoi ? Allez savoir !

Pourtant, Jean Béliveau n'était pas gros du tout. Il était très grand et relativement mince. Fort, élégant et gracieux dans sa manière de patiner et de manier son bâton quand il était en possession de la rondelle. En fait, il avait un peu l'allure de Carey Grant, un acteur américain devant lequel les femmes se pâmaient.

Mais voilà, le hockey, ce n'était pas encore une affaire de filles. Alors, bien sûr, le *Canadien* sera éliminé en demi-finale, en cinq matchs, par leurs ennemis jurés, les détestables *Maple Leaf*s de Toronto. Mais là, je devance un peu les évènements.

Les choses en étant là, question hockey, il avait bien fallu que le bon peuple se rabatte sur d'autres objets de bisbilles pour combler le déficit. En cet hiver 1963, trois sujets étaient sur toutes les lèvres : le métro en construction, la venue de l'Expo universelle de 1967, et surtout, surtout, la nationalisation des compagnies d'électricité.

Sur ce dernier point, les discussions allaient bon train. Grand-père, qui n'en était pas à une contradiction près, ayant déjà fait, devant toute la population réunie devant les marches de l'hôtel de ville de Montréal* sa grande déclaration nationaliste, était pourtant résolument contre cette mainmise de l'État sur des compagnies privées d'électricité. Cette nationalisation avait à ses yeux une trop grande parenté avec le communisme. Papa, maman, oncle Théo, tante Romane et les trois quarts du Québec étaient pour.

---

* voir : *Pépé Camisole et tous les matins d'été.*

Nous, les jeunes, on avait aussi notre idée. Ce qui nous passionnait, ce n'était pas L'Expo 67. On s'en contrefichait comme de notre première dent de lait. C'était trop loin dans le temps, trop imprécis encore pour exercer sur nos esprits la moindre fascination. Quant à l'électricité, c'était juste un moyen de ne pas avoir peur dans le noir en nous permettant d'allumer les lumières. Alors, d'où qu'elle nous vienne et qui que ce soit qui nous la fournisse, hein ! ça n'avait guère d'importance.

Non ! Nous, les jeunes, ce qui nous passionnait vraiment, c'était la construction du métro qui avait débuté l'année précédente et qui allait bon train..., et ce, sans jeu de mots. L'idée de vivre comme des zombies dans des tunnels de béton, là, sous la terre, et que ça puisse, comme on le prétendait, nous faire traverser la ville du nord au sud en moins de vingt minutes, ça relevait presque de la science-fiction.

Il paraît même qu'à certains endroits, des trains de métro circulent les uns pardessus les autres en se croisant, suspendus comme par magie dans les airs. On pouvait à peine se faire une idée de la chose !

Notre prof, monsieur Laliberté, nous avait aussi parlé, la semaine dernière, d'une ville souterraine immense, s'étendant dans toutes les directions sur des milles et des milles de long.

— Il sera bientôt possible de vivre sous terre sans jamais avoir besoin de remonter à la surface, nous raconta-t-il, tout gonflé d'enthousiasme.

Selon ses dires, on y trouverait tous les services : le métro, bien sûr, qui pourrait nous amener partout où on voulait aller, mais aussi des restaurants, des épiceries, des pharmacies, des magasins, des quincailleries, des piscines souterraines, des églises, des parcs où les enfants pourraient jouer, la police, les pompiers, des écoles, des hôpitaux, des fontaines lumineuses, des puits de lumière gigantesques qui amèneraient la lumière du jour depuis la surface jusqu'aux plus grandes profondeurs, à des dizaines de pieds sous la terre. Il y aurait aussi des hôtels, des cinémas, des cordonneries, des nettoyeurs, des boulangeries, des librairies, des bibliothèques, des salles de spectacle...

— Et puis, entonna notre grand chantre d'un futur miraculeux, tout pourra se faire à pied ou en métro, sans avoir besoin, l'hiver, de s'habiller. On pourra vivre à l'abri du froid et de la neige. Et l'été, ce sera climatisé. On n'aura jamais chaud ni jamais froid.

Même qu'il paraît, pour l'avoir moi-même lu dans le journal *Montréal-Matin,* qu'on y aménagerait d'immenses jardins suspendus. On y ferait pousser des fleurs pour que ça fasse joli, mais aussi des légumes, comme des tomates, de la laitue et des concombres. Pour les parcs, le jardin botanique avait, dit-on, développé dans des serres secrètes, une essence d'arbres qui poussent sans avoir besoin de lumière. Il y en aurait, prétendit notre professeur, des forêts entières, là, sous nos pieds, dans les profondeurs de la terre. Et tout ça serait rendu possible grâce à cette invention extraordinaire qu'est le métro.

Pourquoi je vous raconte tout ça ?

Pour que vous sachiez qu'en 1963 le Québec voyait grand. Nos rêves étaient à la mesure de nos espoirs. Et nos espoirs étaient à la mesure de notre imagination qui, elle, était sans limites.

Je vous en parle aussi pour une raison plus importante encore. Le métro allait faire de nous, Lucien, moi et quelques membres de la troupe de la ruelle Saint-Dominique – *des copains triés sur le volet* – de véritables héros. Bon, d'accord !

Peut-être pas exactement des héros. Mais on allait parler de nous comme « *des survivants de l'impossible* », des miraculés de la station Jarry. On parlerait de nous aux nouvelles, à la radio comme à la télé, et ce, à travers la ville au grand complet.

Samedi 9 février, 9 heures 30

Une journée exceptionnellement belle, ensoleillée, lumineuse. Un ciel bleu d'une limpidité parfaite. Un froid sec qui fait craquer nos semelles de bottes sur le trottoir légèrement enneigé. Les douze membres en règle de la troupe de la ruelle Saint-Dominique sont présents. Comme c'est notre habitude les samedis matins, nous nous dirigeons vers la patinoire du parc Villeray. Et comme d'habitude, pour nous y rendre, nous contournons les immenses palissades de bois qui ceinturent les excavations de la future station de métro Jarry.

En passant devant le chantier, Lucien me lance un clin d'œil auquel je réponds par un sourire complice. Et puis nous continuons notre chemin jusqu'à la patinoire.

Simon et Antoine ont mis les gants de hockey flambant neufs qu'ils ont reçus à Noël. Lucien porte son vieux chandail du Canadien avec le numéro 9 cousu dans le dos, le numéro de son héros, Maurice « *Rocket* » Richard. Moi, j'ai mis le mien, un chandail tout neuf, cadeau de Noël de tante Romane et de l'oncle Théo avec le numéro 4, celui du Gros Bill. Francis a apporté sa rondelle sur laquelle est estampillé l'écusson du Canadien.

Imaginez ! Il l'a rapportée du Forum de Montréal alors qu'il assistait à une partie entre le Canadien et les Bruins de Boston durant les vacances des Fêtes. Le billet, c'était un cadeau de son oncle Dollar, son parrain. Il paraît que le cochon a bâfré (je parle bien entendu de Francis, pas de son oncle que je ne connais d'ailleurs pas et sur qui je n'ai strictement rien à dire) donc, le cochon de Francis a ingurgité sept hot-dogs relish-moutarde et deux Coke. Le Canadien a finalement gagné 5 à 1 et Francis a réussi, grâce à sa grande rapidité et à son agilité, à s'emparer d'une rondelle déviée dans les estrades sur un *slap-shot* dévastateur de Boum-Boum Geoffrion. Le mémorable exploit s'est produit à cinq minutes trente-trois secondes de la fin de la deuxième période.

Bien ! Alors nous arrivons au parc Villeray. La patinoire est bondée. Une vingtaine de patineurs. Qu'à cela ne tienne, on s'est immiscés dans la partie en cours. Une vraie foire d'empoigne ! Seize contre seize !

La glace est en piteux état : craquelée, bosselée, rayée par de trop nombreux coups de patins. Encore une fois, qu'à cela ne tienne ! L'énergie remplace le talent. Après une heure de jeu, le compte est à peu près égal, genre 232 à 234. Il y a longtemps qu'on ne compte plus les points. On se contente de jouer. À la fin sera déclarée victorieuse l'équipe qui gueulera le plus fort.

La sirène provenant du chantier du métro qui s'entend à un mille à la ronde marque la fin du match. Il est onze heures pile. Trois petits coups suivis d'un long. Tout s'arrête sur la patinoire. On attend. Les trente-deux joueurs présents comptent jusqu'à dix à voix haute et à l'unisson. Puis béding-bédang, boum ! Explosion !

Et quand je dis explosion, je parle bel et bien d'une explosion avec de la vraie de vraie dynamite. Ça tremble de partout sous nos pieds pendant trois, quatre secondes. Le souffle de la déflagration se répercute dans les couches de roches sédimentaires qui constituent l'essentiel du sous-sol de Montréal. Suivent alors de nouvelles sirènes, un long coup suivi de trois petits, qui annoncent la fin de la séquence des explosions.

Sur la patinoire, on se serre la main. Un rendez-vous est lancé pour une autre rencontre en après-midi. Enfin, pour ceux à qui cela chante. Parce que Lucien et moi, nous avons d'autres plans pour cet après-midi.

Le samedi 9 février 1963, midi

Arrivée à la maison. Changement de vêtements. Tout trempés de sueur. Dîner sur le pouce. Restes de pâté chinois réchauffés. Appel à Francis.

— On se rencontre à 13 heures 30 devant l'église. Pose pas de question ! Vous saurez tout sur place. Il n'y aura que nous cinq. Moi, Lucien, Paulo, Simon et toi. Tu n'en parles à personne.

Le samedi 9 février 1963, 2 heures 30

À midi trente, alors que je suis en train de dîner, la sirène du chantier du métro a de nouveau retenti. Un seul coup cette fois, long comme une plainte baleinière. Conformément aux horaires établis, le chantier se vide de ses travailleurs. Les machines se taisent. Les portes d'entrée et de sortie pour les lourds camions qui vont et viennent sur l'immense chantier se referment. Les chaînes sont mises aux portes. Les travaux viennent de s'interrompre pour la fin de semaine.

À quatorze heures, nous nous dirigeons vers le chantier de la future station de métro. Le ciel s'est couvert d'incertitude. Le paysage s'est teint d'une lourde couleur acier. De gros nuages assombrissent le ciel. Le vent s'est levé, la température s'est adoucie, la neige tombe mollement.

Quand nous arrivons, le silence nous accueille. Là-bas, sur la gauche, au milieu de la rue Jarry, la roulotte du gardien laisse échapper, de sa minuscule cheminée, un filet de fumée noire. À l'intérieur, l'homme dort. En fait, non ! Il digère, les yeux fermés. Et même pas tout à fait fermés qu'ils sont ses yeux. Faut se méfier des gardiens dans leur roulotte. Surtout ceux qui ont les yeux fermés. Ils entendent tout. Ils débusquent, avec leur nez surdimensionné, pustuleux comme le dos d'un crapaud, la présence de n'importe quel rôdeur d'où qu'il vienne et qui qu'il soit.

On a donc évité la roulotte et nous sommes passés par la rue Saint-Gérard, vers le sud, puis nous avons bifurqué vers l'est dans la ruelle qui mène derrière la grande palissade. Là, derrière un amoncellement de blocs de béton ajourés, se trouve une porte toute chétive et discrète qui n'est pas surveillée. Pas surveillée, mais cadenassée.

Lucien semble être au courant de tous les secrets qui concernent la station Jarry. Il sort un marteau et un gros tournevis de son sac à dos. Celui-ci ne contient pas de collation comme il nous l'avait d'abord annoncé, mais un marteau, un tournevis et une grosse lampe de poche.

— Qu'est-ce que tu fais ? demande Simon d'une voix inquiète.

— Faut entrer là-dedans ! lui répond Lucien. Et pour entrer là-dedans, il faut faire sauter le cadenas.

— T'es fou ! rétorque Paulo. Ça va faire ben trop de bruit. Et si on est pris, on va se retrouver au poste de police. Je vais manger la volée de ma vie, si mon père est obligé de venir me sortir de prison. Te rends-tu compte ? On pourrait devenir des bandits pour un simple coup de marteau.

— Si tu n'arrêtes pas de geindre à haute voix, ce n'est pas un coup de marteau qui va nous mener en prison, mais tes jérémiades, riposte Lucien d'une voix rude. Alors, ferme-là !

— Où tu nous amènes ? intervient Francis. Ça m'a l'air pas mal mystérieux toute cette histoire-là !

— En enfer ! réplique Lucien avec un sourire un brin malicieux sur les lèvres. Vous allez voir un décor si fantastique que vous n'en reviendrez pas. Tassez-vous.

Le fermoir qui retient le cadenas est arraché de ses ancrages après trois coups de marteau.

Silence !

Le bruit a peut-être éveillé la curiosité des passants invisibles ou tiré de son sommeil le gardien engourdi.

Rien.

On ouvre la porte qui ne grince pas. Un cagibi de vingt pieds carrés qui sent le bois neuf et la gomme de pin. Six crochets vissés à des *deux par quatre*[*] tordus. Six casques de construction y sont accrochés.

— Prenez-vous chacun un casque, ordonne Lucien. Mettez-le par-dessus votre tuque. Là où on va, ce n'est quand même pas chaud, chaud. Tassez-vous. Pépé, aide-moi.

Je me penche. À deux, nous soulevons une grosse plaque de bois renforcée qui recouvre un immense trou. À la vue de cette ouverture dans le plancher qui semble s'enfoncer dans les entrailles de la terre, nous nous tassons prudemment contre le mur.

Nos visages témoignent d'un vif émoi, de l'appréhension devant l'inconnu, de la peur aussi devant l'éventualité de devoir descendre là-dedans. Il y fait si noir qu'on ne voit rien à un pied de profondeur. Alors, l'idée de se casser la gueule, de se briser une jambe ou de se déglinguer le cou, dans le meilleur des cas, ou de se tuer dans le pire, nous fait franchement hésiter. Mourir n'est déjà pas en soi une très bonne idée, mais de crever comme

---

* Deux par quatre : nom donné en construction à des poutres de 2 pouces par 4 pouces, en pin ou en épinette, utilisées comme montants pour l'érection des murs.

des rats dans le noir, ça, ça me fout carrément la chair de poule.

Seul Lucien semble en parfait contrôle de ses émotions. Il regarde le trou comme un dresseur défie du regard un fauve à mâter.

— Bon, chacun a sa lampe de poche ?

Personne ne répond. On regarde le trou, impuissants à articuler le moindre mot.

— On descend, reprend Lucien, tout sûr de lui. Il y a une longue échelle arrimée au mur. Il faut descendre environ à cent pieds de profondeur. Pas besoin d'avoir peur. C'est facile. En deux minutes, on est en bas. Enlevez vos mitaines, ça donne une meilleure prise. On y va !

Il s'est jeté dans le trou comme un parachutiste se jette hors d'un avion. Trois secondes et il a disparu de notre champ de vision. Vingt secondes et il appelle le prochain à le suivre. Ce sera Francis qui vient de faire son signe de croix. Puis Simon qui récite un Notre Père. Enfin Paulo qui me fait un dernier adieu.

C'est maintenant mon tour. L'idée de foutre le camp me passe par la tête. Puis je me résigne. Le ridicule ne tue pas, mais la lâcheté, oui !

Cent pieds ! Misère ! Je divise par six. C'est dix-sept fois la profondeur du trou dans lequel on met un cercueil en terre. Dix-sept fois la chance de mourir !

Le samedi 9 février 1963, 2 heures 55

Nous voilà au fond d'une longue et large galerie souterraine et demi-sphérique. Haute d'une trentaine de pieds, large de cinquante, approximativement bien sûr, car je n'ai pas mesuré. De toute manière, nous sommes loin des cent pieds annoncés. Mais Lucien n'a jamais été bon en calcul. Et puis cent pieds, ça fait tout de même rudement courageux. Parce que, les cent pieds, même s'ils n'existent pas, on a quand même accepté de les affronter.

Le sol est raboteux, couvert de gravier. L'atmosphère est remplie d'humidité sur laquelle flotte un fin nuage de poussière. Ça pue le soufre. Du plafond pendent de longues stalactites de glace. Couvrant les murs, une couche de frimas s'étend pour former au sol un tapis blanchâtre que nos pieds défont.

Alors qu'on désespérait d'y trouver la noirceur totale, une délicate lumière émerge d'une des extrémités. Là où nous sommes, le tunnel fait un léger coude, si bien qu'on n'en perçoit pas clairement l'origine. À notre gauche, le tunnel s'étire dans une nuit opaque que nos faibles lampes ne peuvent percer.

— Venez ! nous intime Lucien qui a pris le commandement de l'unité que nous formons. Ne faites pas de bruit. Je vais vous montrer une chose extraordinaire. Éclairez le sol avec vos lampes et regardez où vous marchez. Le sol est caillouteux.

Nous nous sommes mis en train derrière lui. Cinq minutes plus tard, nous débouchons dans une salle immense, éclairée comme une église le soir de Noël. À croire que des centaines de travailleurs y poursuivent leur ouvrage. Pourtant l'endroit est désert. Pas l'ombre d'une ombre ! Pas un son !

L'endroit est gigantesque. Les murs de béton sont couverts de longs échafaudages.

Les plafonds doivent faire les cent pieds initialement annoncés. Une longue terrasse s'étend sur tout son travers, comme un jubé d'église parcouru, à chaque extrémité, par deux immenses escaliers qui aboutissent en contrebas sur une autre terrasse, dont le centre est parcouru par un long fossé creusé lui aussi dans la roche. C'est le tunnel qui s'étire dans deux directions opposées. C'est là que nous nous tenons, à la sortie du tunnel.

— Voilà, messieurs ! proclame Lucien d'une voix émue, les bras en croix, le visage illuminé par un sourire de béatifié. La station Jarry du métro de Montréal ! Alors ? C'est pas extraordinaire ? Hein, que ça valait le coup ?

Nous sommes incapables de prononcer une seule parole tant notre étonnement est immense. Nos yeux ne sont pas assez grands pour emmagasiner toute cette splendeur de bois, de fer et de béton, le tout noyé dans une lumière éblouissante.

— C'est écœurant ! murmure Francis dans un long sifflement admiratif :

— On dirait une cathédrale ! s'exclame Simon toujours prêt à reconnaître, dans tout ouvrage humain, l'œuvre de son bon Dieu.

Vous ai-je déjà dit que Simon sera, de nous tous, le premier athée attesté ? Il le deviendra avec l'âge et avec une irrévérence tout aussi puissante que sa présente soif de Dieu. C'est pour l'instant notre enfant de chœur extasié.

— Cathédrale ou pas, en tout cas, c'est un sacré trou.

Nous nous sommes approchés des quais. Ils s'étirent devant nous. À chaque extrémité, des échafaudages sont appuyés aux hautes parois. De longs convoyeurs de métal s'élancent vers les terrasses supérieures. C'est par là qu'on évacue les pierres que les explosions et les foreuses arrachent aux parois du tunnel.

Nous avons escaladé un des grands escaliers qui mènent à la terrasse supérieure. Un cabanon de métal et de planches en marque le centre. Une longue balustrade l'isole du vide. On s'en approche. On s'y appuie pour regarder vers le bas. Le tournis me prend. La vue qu'on a de cet angle est vertigineuse.

Au fond d'un large corridor, un second escalier moins majestueux que les premiers, composé de deux volées de marches s'appuyant chacune sur les murs latéraux faiblement éclairés, mène vers les sorties.

On s'y aventure. Nous atteignons le plancher des vaches. La troisième terrasse est couverte par un immense surplomb en béton. Les murs sont percés de larges ouvertures derrière lesquelles des camions sont stationnés : deux immenses grues aux cous repliés, et un tracteur juché sur un énorme tas de débris de roches face à un concasseur.

— C'est là-dedans, nous explique notre Lucien de guide, qu'on brise la roche extraite des tunnels pour la mêler ensuite au ciment pour en faire du béton. Le béton est produit sur place et il est ensuite dirigé par ces longs tuyaux de caoutchouc renforcés de cerceaux de métal vers les tunnels pour en couvrir les murs d'une couche d'un pied d'épaisseur.

— Mais comment tu sais tout ça ? lui demande Marco d'une voix où se devine un brin d'irritation.

— Mon père travaille ici. C'est un des contremaîtres.

— Tu ne nous as jamais dit ça !

— Je ne vous l'ai jamais dit parce que je ne le savais pas. Mon père a été transféré ici la semaine dernière. Il m'a fait visiter le chantier dimanche passé. C'était une journée de visite pour les familles des travailleurs du chantier.

— Comment t'as su pour l'entrée secrète ?

— J'ai eu envie de pisser. Papa m'a montré les toilettes derrière le chantier.

Juste à côté du petit hangar par où on est passés. La porte était entrouverte. Le couvercle de bois était tiré. J'ai vu le trou. J'en ai parlé à mon père qui m'a expliqué que c'était un trou d'évacuation d'urgence qui servait en même temps à l'aération des tunnels.

Il a bien fallu qu'on se contente de cette explication. Je me suis quand même demandé comment un ancien réparateur de tondeuses à gazon et de machines à laver avait bien pu se retrouver, comme ça, du jour au lendemain, contremaître sur un chantier d'une telle importance.

Il est vrai que la construction du métro et de toutes ses dépendances exigeait une main d'œuvre très importante. Ceci expliquait peut-être cela. Mais tout de même, un doute commençait à poindre dans mon esprit, un doute qui donnait peut-être raison à mon grand-père. Depuis des mois et des mois, il nous annonçait une catastrophe imminente dans ce métro qu'il qualifiait *d'œuvre du diable*. Si on employait n'importe qui pour surveiller les travaux, peut-être, en effet, fallait-il craindre des défauts de construction qui entraîneraient l'effondrement du métro.

Dès lors, je me promets de ne jamais emprunter la station Jarry qui semble si mal servie en compétence par certains de ses travailleurs. Car si un réparateur de sécheuse a été engagé comme contremaître, qui donc a-t-on employé pour creuser le sous-sol ? Des cordonniers, des jardiniers, des vendeurs de saucisses ?

J'en suis là dans mes pensées quand, tout à coup, on entend un bruit de pas venant de l'extérieur. C'est le gardien qui fait sa ronde.

— Vite ! que je lance d'une voix étouffée. Faut partir d'ici ! Le gardien arrive.

Les autres se sont immédiatement arrêtés dans leur exploration. L'oreille tendue, ils écoutent. Le bruit des pas se rapproche de façon inquiétante. C'est aussitôt la débandade. On s'élance vers les escaliers sans faire attention aux bruits que nous produisons. On rit comme des diables en s'enfuyant. Derrière nous, une voix retentit.

— Aïe ! Qu'est-ce que vous faites ici, vous autres ? Revenez ! N'allez pas par là, c'est dangereux ! Ah ! Ma gang de petits morveux ! Si je vous attrape, je ne donne pas cher de votre peau ! Attendez un peu ! Arrêtez-vous que je vous dis !

S'il pense que ses menaces de s'en prendre à notre peau nous donnent envie de lui obéir ? Il se trompe, le gardien ! Notre peau, on y tient. Alors, on a redoublé d'ardeur pour fuir. Le problème, c'est qu'il est jeune, le gardien. Et qu'il court vite, et qu'il a du souffle.

Lucien nous a entraînés vers le fond du tunnel. Il y fait noir comme chez le loup. On se cache derrière un gros monticule de roches. Silence ! Seul le son des pas lointains du gardien nous parvient. D'anémiques éclats de lumière balaient faiblement les parois de roches grises puis s'éteignent.

Les pas s'éloignent, s'arrêtent. Les vociférations reprennent avec plus d'intensité et de colère cette fois.

— Vous voulez jouer aux plus fins avec moi ? C'est bien correct. Cachez-vous ! Cachez-vous autant que vous voulez ! Moi, j'appelle la police. On va bien voir si vous allez trouver ça aussi drôle !

Et il est reparti d'un pas traînard. Nous, on est restés en place sans bouger, mais en rigolant de notre exploit. Seul Marco semble inquiet.

— Il s'en va appeler la police, lâche-t-il en miaulant presque d'effroi. Je suis pas mieux que mort !

— Mais non ! rigole Lucien en s'installant confortablement le dos appuyé au mur du tunnel. Le temps qu'il retourne à son cabanon, qu'il appelle les bœufs, que la police arrive, on a cent fois le temps de foutre le camp d'ici.

— Bon ben, on bouge d'ici, rétorque Marco. Moi, j'en ai ma claque de tout ça. J'ai juste hâte d'être dehors.

— Attends un peu que le garde soit parti, dis-je en incitant mes camarades à rester assis sagement. Le gardien est bien capable de nous préparer une surprise à la sortie du tunnel. Et puis, il est jeune et en forme. On peut pas l'essouffler comme on veut, celui-là. N'oubliez pas qu'il faut traverser la cathédrale pour nous rendre jusqu'à notre escalier. Soyons un peu patients. Inutile d'aller se jeter dans la gueule du loup... Et puis, j'ai une belle surprise pour vous autres... Des cigarettes !

J'ai allumé ma lampe de poche et j'ai éclairé ma main qui tient cinq cylindres blancs terminés par un bout filtre doré.

— J'en ai une pour chacun d'entre nous, ai-je pris le temps de préciser.

Tous les regards se sont tournés vers moi, brillants d'envie.

La cigarette, c'est pour nous le passage quasi obligé qui nous mène tout droit de l'enfance à l'âge adulte. Ne pas savoir fumer avant d'entrer au secondaire, c'est un peu comme se présenter à un match de hockey sans patins ni bâton. Impensable ! Et puis comment prétendre être un adulte-en-devenir si on ne sait ni jurer, ni boire, ni fumer ?

Bon, pour la boisson, je m'y suis risqué un soir avec une bière que Lucien avait chipée dans la réserve de son paternel. Affreux, dégueulasse, de la pisse de chat ! J'ai vite compris pourquoi mon père n'en buvait pas. C'est tout simplement imbuvable. Et je me suis fait la remarque que de boire de la bière n'était pas une obligation puisque mon père, qui est pourtant un adulte, n'en consommait pas.

Jurer, dire des gros mots, je ne m'y fais pas. C'est tellement morron*. Sacrer, jurer, on fait ça parce qu'on n'a rien à dire. Et je prétends que lorsqu'on n'a rien à dire, mieux vaut se la fermer. D'ailleurs il y a un proverbe qui proclame : « *Mieux vaut se taire et paraître idiot que de par-*

---

* Morron : néologisme très employé à l'époque et signifiant idiot, bête, crétin.

ler pour le prouver. » Et je trouve que c'est plein de bon sens.

Alors comme ni la boisson ni les jurons n'ont reçu mon approbation, il m'a bien fallu jeter mon dévolu sur la cigarette. Remarquez, ça n'a pas été une sinécure. La cigarette aussi, c'est dégueulasse, et même bien plus que la bière, si vous voulez mon avis. À la moindre bouffée, surtout si on l'inhale, on s'étouffe. On devient tout rouge, étourdi, nauséeux, et on pue de la gueule. Et, bien sûr, pas question de ne pas inhaler au risque de passer pour une moumoune. Mais puisque je voulais absolument vieillir et devenir un homme, je devais faire le sacrifice et passer par là.

J'ai commencé, comme tout un chacun, avec des bouts de cigarettes ramassés sur les trottoirs. Puis je suis passé aux emprunts familiaux, et même, je l'avoue à ma courte honte, au vol d'un paquet au restaurant du coin. Mais que pouvais-je faire ? À cette époque, aucun de nous n'avait d'allocation hebdomadaire. Alors, les cigarettes, il fallait bien se les prendre quelque part. Et comme on n'avait rien pour se les payer…

— Bien ! On a le temps d'en griller une, approuve Lucien dans un petit éclat de rire. Au mieux, les flics ne seront pas ici avant une bonne demi-heure.

Alors, je distribue les cigarettes. On se passe la pochette d'allumettes. Chacun allume sa cigarette, en jetant derrière lui, l'allumette encore enflammée. Et là, après quelques minutes, ça se met à sentir. Chacun renifle.

— Ça sent la fumée, on dirait ! constate Simon, étourdi par les inhalations de fumée de cigarettes.

— Ben oui, c'est sûr que ça sent la fumée, épais! fait Marco, cigarette au bec comme un vrai professionnel. On fume.

— Non ! ! insiste Simon. Ça ne sent pas la cigarette. Ça sent autre chose.

Chacun s'est mis à sniffer l'air en cherchant de quoi il s'agissait. C'est Lucien qui a le réflexe le plus rapide.

— Ça sent la poudre ! Vite ! Faut pas rester ici ! Ça va péter.

Et on le voit déguerpir, le Lucien, comme s'il avait eu le diable aux trousses. On ne fait ni une ni deux et en hurlant, on se met à sa poursuite. On fait une trentaine d'enjambées dans une course folle quand, derrière nous, ça commence à péter sérieusement dans tous les coins en faisant un vacarme de tous les diables.

Une fumée épouvantable envahit le tunnel et nous empêche de voir où nous mettons les pieds.

En toussant et en crachant, on émerge du nuage noir qui s'élève maintenant vers le plafond de la cathédrale souterraine. On entend un hurlement depuis la terrasse du haut. C'est le gardien qui est revenu sur ses pas et qui nous fixe d'un air hébété.

— Bon Dieu ! Sortez vite de là, espèce d'idiots ! rugit-il d'un ton affolé. Vous avez mis le feu à une réserve d'explosifs. Ne restez pas plantés là ! Courez, pour l'amour du saint ciel ! Courez !

Et nous avons couru, mais pas vers lui, mais vers l'autre extrémité du tunnel, celle que nous avons empruntée trente minutes plus tôt. Tels des singes grimpeurs, nous escaladons l'échelle de la longue cheminée qui nous ramène vers le petit hangar. On sort sans prendre le temps de remettre en place le gros couvercle de bois.

On a à peine le temps d'abandonner nos casques de construction dans la ruelle qu'on entend une violente déflagration qui ébanle le sol sous nos pas. On se retourne quelques secondes et on voit s'élever, dans le ciel, un gigantesque panache de fumée noire.

Alors, pris de panique, on reprend notre course. On se dirige vite fait vers la rue Gounod, plus au sud. Des sirènes se font bientôt entendre. La police, les pompiers, les ambulances semblent accourir de tous les coins de la ville.

On a dû vite retrouver notre calme. À fuir comme des fous, on risque tôt ou tard d'attirer l'attention sur nous. Or, c'est bien la dernière chose à faire. Aussi, on fait semblant de s'amuser comme des gosses normaux en se lançant dans les bancs de neige. On enfile la rue Gounod jusqu'à De Gaspé. Puis, par des ruelles communicantes, on se rend derrière chez Simon où on prend le temps de se rouler dans la neige question de se débarrasser de la poussière qui nous couvre le corps. On se lave la figure, les cheveux, les bottes avec la neige, se frottant l'un l'autre, la face et le dos pour en chasser toute trace pouvant témoigner de notre passage dans les entrailles de la terre.

Il n'est pas question de rentrer tout de suite chez soi. On sent encore la boucane. Heureusement, la neige qui tombait mollement au moment de notre entrée dans le métro a viré en véritable tempête.

— Faut se séparer, propose Lucien. Pas question de rester les cinq ensemble. Le gardien a certainement donné notre description. Enfin du peu qu'il a pu voir de nous. Sûr qu'il sait compter jusqu'à cinq.

Et nous nous séparons. Lucien avec moi, d'un côté, les trois autres, de l'autre.

Sans trop nous approcher des lieux, Lucien et moi, nous sommes rendus aux alentours du métro. Il y a une foule très dense. Un trou béant crève le pavé de la rue Jarry. Les ragots vont bon train.

— Y paraît que c'est le FLQ* qui a fait le coup, commente un badaud à une trentaine d'autres qui sont venus aux nouvelles.

Ailleurs, une vieille femme approche la vérité d'un peu plus près.

— Eh ben, oui, madame Cloutier ! Et si j'ai bien compris, il y aurait une dizaine de jeunes pris dans les décombres. Cinq d'entre eux seraient pas loin d'être à moitié morts. C'est bien épouvantable !

— Qu'est-ce que vous voulez, madame Gladu. C'est ce qui arrive quand les parents ne surveillent pas leurs enfants.

— Mais moi, intervient une troisième dame, je ne suis pas surprise qu'une affaire de même arrive. C'est quoi cette

---

* Front de Libération du Québec

idée de vouloir aller contre les lois du bon Dieu, aussi ! L'homme n'est pas fait pour vivre sous terre.

— Les femmes non plus, renchérit madame Cloutier. Sous terre, on y va quand on est mort.

— C'est bien vrai ça, soutient madame Gladu. Et six pieds suffisent. Si le bon Dieu avait voulu qu'on vive sous terre, il nous aurait faits fourmis, pas humains. C'est ça que je dis et je le pense.

Les trois dames ont continué leur bavardage pendant que, Lucien et moi, nous nous approchons précautionneusement de la masse de badauds qui cernent l'endroit. On voit une dizaine de voitures de police, des camions de pompiers, des ambulances. C'est un va-et-vient constant depuis l'intérieur du métro où la fumée s'est dissipée. Dans un coin, couché sur une civière, on a vu passer le gardien en état de choc.

C'est le soir, lors du téléjournal, que les informations les plus pertinentes nous sont parvenues : « *On doit parler ici d'un véritable miracle,* explique le journaliste dépêché sur les lieux de l'incident. *Selon le témoignage fourni par le gardien avant qu'il ne soit transporté à l'hôpital*

Jean-Talon pour traiter un violent choc nerveux, cinq jeunes garçons se seraient introduits dans les tunnels vers 14 heures 30. Selon toute apparence, ils auraient mis le feu à une boîte de fusées de signalement utilisées pour délimiter des endroits non protégés. On imagine la tragédie qui se serait produite s'il s'était agi de bâtons de dynamite... Toujours selon le témoignage du gardien du chantier, les enfants étaient encore présents dans le sous-sol de la station de métro quand les explosions ont commencé. Il les a vus émerger du nuage de fumée et courir vers l'autre extrémité du tunnel. Aucune trace de sang n'a été trouvée sur les lieux. Par ailleurs, les policiers ont découvert, dans la ruelle qui mène à la rue Saint-Gérard, juste derrière les barricades, les cinq casques que portaient les enfants. Ce qui laisse présumer que les cinq jeunes s'en sont tirés indemnes. Mais il a été impossible de les retrouver en raison de la violente tempête de neige qui sévissait sur la ville à ce moment et qui a effacé toute trace de leur passage... Il appert que les cinq jeunes se seraient introduits dans les tunnels depuis une cheminée d'aération située à l'extrémité sud du chantier. Pour l'instant, on ne déplore aucun blessé et les dégâts sont considérés comme mineurs. La plaque de métal qui recouvrait le trou d'aération sur la rue Jarry et qui a été déplacée par le souffle de la déflagration a été remise en place et la circulation a pu reprendre sur la rue Jarry en fin d'après-midi. Ici Gaétan Langevin, pour Radio-Canada, à Montréal. »

Ce soir-là, je me suis couché encore secoué par cette terrible aventure. Pour dissiper les soupçons de mes parents à mon endroit, j'ai évoqué, pour excuser mon attitude étrange et mon absence d'appétit, mon inquiétude à l'idée que des amis de mon école se soient fait prendre dans ce terrible accident. Ils ont apaisé mes craintes en me répétant que les imprudents garnements s'en étaient sortis indemnes et que je n'avais pas à m'en faire pour eux.

— Sinon, fait maman en me caressant les cheveux, d'en tirer pour toi-même une sérieuse leçon de prudence.

Alors péniblement, les oreilles bourdonnantes du vacarme étourdissant des explosions de ce funeste après-midi, j'ai lentement glissé dans un sommeil agité.

Et c'est ce même soir que j'ai fait le serment de ne plus jamais toucher à une cigarette de ma vie... Et, aujourd'hui, à l'aube de mes soixante-quatre ans, je ne fume toujours pas !

Pour les cracks d'histoire

Le maire Jean Drapeau a officiellement lancé la construction du métro de Montréal le 4 mai 1962. Mais bon nombre de chantiers étaient en opération depuis plusieurs mois déjà. Le métro sera inauguré le 14 octobre 1966. Il possédait alors 24 stations et courait sur 28 kilomètres. Il en possède maintenant 72 qui s'étendent sur 77 kilomètres et desservent trois villes : Montréal, Longueuil et Laval.

F.L.Q. : Le Front de Libération du Québec est un réseau terroriste en activité depuis le début des années 1960. Le F.L.Q. est voué à l'indépendance du Québec et ses activités s'intensifieront lors de la crise d'Octobre de 1970 ponctuée par l'enlèvement d'un fonctionnaire au consulat britannique, James Earl Cross, et par l'enlèvement et l'assassinat de Pierre Laporte, alors ministre du Travail sous le gouvernement de Robert Bourassa.

L'Expo 67 s'est tenue à Montréal du 28 avril au 28 octobre 1967. Plus de 70 pays y participaient. Son coût est évalué à 422 millions $ et a rapporté des revenus de moins de 212 millions $. L'évènement grandiose a attiré sur son domaine des îles Sainte-Hélène, Notre-Dame et la Ronde, plus de 50 millions de visiteurs. Le thème en était TERRE DES HOMMES, un emprunt au titre du roman du célèbre écrivain français : Antoine de Saint-Exupéry.

Nationalisation de l'électricité : Évènement majeur dans l'histoire du Québec. En 1962, le gouvernement de Jean Lesage met en branle une vaste opération d'achat de toutes les compagnies produisant de l'électricité sur tout le territoire de la province. Jean Lesage a mis à la tête de ce gigantesque ouvrage d'appropriation et de développement électrique son ministre de l'Énergie, l'incorruptible et très énergique René Lévesque. Ce dernier mènera le projet de main de maître avec une compétence et une probité irréprochables. Ce combat se fit dans des conditions d'extrêmes tensions avec les compagnies d'électricité qui usèrent de tous les subterfuges légaux et illégaux pour empêcher ce mouvement de nationalisation.

Hydro-Québec, un organisme paragouvernemental, fondé en 1944, deviendra le maître d'œuvre de tout le développement énergétique du Québec. Hydro-Québec fut longtemps considéré comme un fleuron du savoir-faire québécois et une source de fierté nationale indéniable.

4

Le mystère de la mitaine de cuir

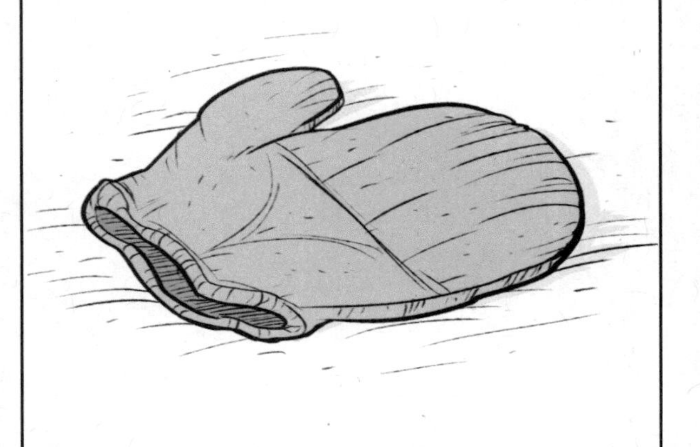

Bonjour ! C'est moi… Non ! Je ne suis pas Pépé… En fait, oui, je le suis, mais sans l'être.

Voilà ! Pour faire simple, je suis l'auteur. Oui ! C'est moi ! Je suis très heureux…

Pardon ? Vous voulez savoir de quoi je suis l'auteur ?

Ben, du livre !

Quel livre ? Vous en lisez trois en même temps ! Mais comment peut-on lire trois livres en même temps ?

Ah ! Vous en commencez un, puis vous le fermez. Vous en commencez un deuxième. Ensuite, vous revenez au premier. Vous en commencez un troisième. Vous revenez au premier, puis au troisième, ensuite au deuxième… Belle façon de ne jamais rien finir ! Enfin, c'est votre problème, pas le mien et je suis quand même l'auteur du livre que vous tenez présentement entre vos mains.

Comment mon nom ? Vous ne savez pas mon nom ? Vous ignorez qui a écrit ce livre extraordinaire dont vous vous délectez depuis des heures et des jours ?... (long soupir de découragement). Écrivez, écrivez, qu'ils disaient... Ben, mon nom, c'est celui qui apparaît sur la couverture... Bon, restons calmes ! Je suis Pierre Desrochers...

Vous ne connaissez pas ? Dites ! Ça vous arrive parfois de lire le nom en haut du titre sur la couverture des livres que vous achetez ?

Non !

Eh bien, c'est du joli !

C'est là qu'est écrit le nom de l'auteur.

Bien ! Reprenons tout depuis le début. (Ce qu'il ne faut pas faire pour se faire connaître, je vous jure !) Fermez le livre ! Bien, là, maintenant, au-dessus de *Pépé Camisole et un hiver pas comme les autres*. Oui ! Je sais : le titre, vous l'avez vu, bien sûr. Eh ben, juste au-dessus, c'est écrit **Pierre Desrochers**.

Vous me direz qu'il n'est pas très gros. Que voulez-vous, pour les éditeurs, un auteur, hein ! ... Bon ! on en reparlera quand nous serons entre nous, entre les lignes, plus tard, discrètement... Mais tout de même, le nom est assez gros pour qu'on le remarque pour peu qu'on s'en donne la peine, bien sûr !

Vous y êtes ? Paaaarrrrfait !

Bien ! Maintenant qu'on a fait connaissance, si on commençait ?

Ah ! Mes chers amis lecteurs et lectrices ! Quelle température extraordinaire ! C'est bien simple, c'est à se mettre les fesses dans la piscine et se laisser griller le nombril, étendu sur un matelas gonflable !

Quoi ? Vous n'avez pas de piscine ? Moi non plus. Mais c'est pour faire image ! Quoi, quelle image ? Ben, celle de vous faire comprendre à quel point il fait chaud et humide, avec les cigales qui chantent et avec juste assez de vent pour ne pas trop pâtir de la canicule.

Quoi, c'est l'hiver ? Où ça l'hiver ?

AAAAAAAAAh ! Dans le livre ! Dans le livre, c'est l'hiver ! Oui, ben le livre on s'en fout. Je ne vous parle pas du livre. Je vous narre une journée dans la vie d'un auteur : c'est quand même autre chose, non ? Or, ici, c'est l'été et il fait une journée tout simplement **fan-tas-ti-que** !

Ah bon ! Je comprends ! Vous pensiez que les histoires d'hiver étaient écrites l'hiver ! Comme c'est merveilleux la *naïveté des petits nenfants.* Eh bien non, chers petits *nenfants* ! Les histoires d'hiver peuvent très bien s'écrire l'été... La preuve !

Quoi, quelle preuve ?

Mais la preuve que les histoires d'hiver s'écrivent parfois et même très souvent l'été, quand il fait chaud, et qu'on est tout trempés à force qu'il fait chaud, et tout collés à force que c'est humide, et qu'on ne sait plus quoi faire tant il fait chaud et alors on se met à rêver à l'hiver, et alors on écrit des histoire d'hiver pour se rafraichir et c'est précisément ce que je suis en train de faire, d'où la preuve ! Voilà !

Oui bon, je sais ! La dernière phrase est beaucoup trop longue pour des lecteurs de dix, douze ans !

Eh ben, tant pis ! Non mais c'est vrai quoi ! Qu'est-ce qu'on leur apprend à l'école à part ne pas lire le nom de l'auteur au-dessus d'un titre de livre ? La phrase restera longue, qu'on se le dise. Et on continue.

Tout d'abord je déteste l'été. Je déteste la chaleur. Je déteste l'humidité. Voilà, c'est dit ! Et c'est ce qui m'a fait penser à cette incroyable histoire de mitaine.

Pourquoi ? Ben tout simplement parce que cette histoire se passe en hiver. Et qu'en hiver, on porte des mitaines. Voilà pourquoi !

Je dois avouer que j'ai eu bien du mal à croire à son histoire quand Pépé me l'a racontée. On a beau être auteur, il y a tout de même des limites à la grosseur des couleuvres qu'on peut nous faire avaler. Pourtant, Pépé m'a assuré que tout était vrai à la virgule près. Alors, j'ai décidé de vous prendre à témoin. Vous jugerez sur pièce. Après tout, je me suis dit, avec Pépé tout est possible.

Tout commence à la fin de l'hiver 1963. Remarquez, je dis fin parce que, habituellement, au milieu de mars le printemps n'est pas loin. On ignore pourtant que cet hiver 1963 sera le plus long des dernières cinquante années. Il s'étirera jusqu'à la fin avril avec des températures de moins dix, moins quinze, avec une pointe de moins neuf dans la nuit du 21 avril. Une dernière bordée de neige de près de vingt centimètres nous tombera dessus le 19 avril.

Eh oui ! Que voulez-vous ! Il y a des impondérables contre lesquels on ne peut rien. C'est comme ça. Et dire que la marmotte n'avait pas vu son ombre le 2 février dernier et qu'on espérait un autre printemps hâtif comme celui de l'an dernier ! Décidément, la marmotte s'était outrageusement mêlée dans ses pinceaux.

Revenons à ce milieu du mois de mars, le 9 pour être précis. Bon, d'accord ce n'est pas encore le milieu, mais ce n'est plus le début non plus. Il y a un redoux. La neige a commencé à fondre. Les pieds des gros arbres sont dégagés. Les premiers perce-neige auraient fait leur apparition quelque part entre Ottawa et Montréal. C'est un signe qui, généralement, ne trompe pas. Autre signe : la température a grimpé au-dessus de zéro, jusqu'à plus sept avant-hier (je vous donne la température en degrés Celsius, même si, à l'époque, ça se faisait encore en degrés Fahrenheit). Même que le jardin de la mère Fournier est en partie dégagé. On y voit le gazon tout le long du solage.

Or, que se passe-t-il à la fin de l'hiver dans toutes les écoles primaires du Québec ? Allez, on réfléchit ! Un évènement qui revient comme un rituel et qui consacre la fin définitive de l'hiver ?

La corde à linge, voyons !

Dans la grande salle de l'école, on tire de longues cordes sur lesquelles on suspend les reliques vestimentaires que l'automne et l'hiver ont abandonnées dans les corridors, dans le fond des classes, dans les casiers, sur les espaliers du gymnase. On y trouve de tout : écharpes, foulards, tuques, bas, mitaines, pantalons, t-shirts, culottes, souliers, bottes, espadrilles, manteaux, casquettes, caleçons (Eh oui ! J'ai bien dit caleçons !). Et cette année, en plus du reste, comme une cerise sur le sundae, il y a ce mocassin de cuir perlé avec de jolies franges comme ceux que confectionnent les Amérindiens... Attendez ! Non ce n'est pas un mocassin, non, c'est une botte. Oui, c'est ça, une botte, perlée avec... À moins que ce ne soit un gant ou une mitaine...

De toute façon, mocassin, botte, gant ou mitaine, ça n'a pas vraiment d'importance. Ce qui l'est cependant, c'est que cette botte, ce mocassin, ce gant ou cette mitaine (ou quoi que ce soit d'autre) aura des conséquences tragiques... Non, pas tragiques... Disons dramatiques... Non ! Quand même, n'exagérons rien ; graves, voilà ! Graves ! Des conséquences graves sur la vie...

Mais tiens ! Ne voilà-t-il pas notre fier héros qui se montre enfin ! Je vous laisse. Il saura mieux que moi vous raconter cette fabuleuse aventure.

(...)

Bonjour les copains ! C'est moi, Pépé Camisole... Oui, je sais ! Vous avez eu la visite de mon inénarrable auteur. Quand j'ai su qu'il s'était pointé, j'ai avalé mon petit déjeuner en vitesse et je me suis élancé sur mon superbe mustang pour arriver le plus vite possible. Oui ! Il vous l'a dit, je sais. C'est l'été. Il fait une de ces chaleurs ! Et il n'est que dix heures trente du matin. Qu'est-ce que ce sera en plein cœur de l'après-midi ? De toute façon, les copains et moi, on s'est donné rendez-vous à la piscine municipale.

Mais revenons à mon auteur. Donc, il était encore là, celui-là ? C'est la troisième fois qu'il me fait le coup. Les deux fois précédentes, j'ai pu intervenir à temps. Mais là...

Ah ! Les auteurs ! Les auteurs ! Une race à part, ces gens-là ! Faut se méfier que je vous dis, car ils s'inviteraient comme ça au milieu d'une histoire sans même se faire annoncer !

Remarquez, je l'aime bien, mon auteur. C'est un brave type, pas méchant, drôle, bien de sa personne et tout et tout. Mais à ceux-là, comme à lui en particulier, je parle ici des auteurs bien sûr, faut vraiment pas leur laisser trop de marge de manœuvre. Sinon, paf ! Ils vous impriment ça à deux mille exemplaires par contrat chez un éditeur qui dit qu'il n'imprime pas n'importe quoi. Mais allez ! Ça, ils vous l'impriment vite fait et sans se casser la tête. Avec les articles 1, 2 et 3 au contrat qui prévoient des rééditions et des traductions si ça se trouve !

Bon ! Alors ? Que vous a-t-il raconté, mon auteur adoré ? Encore que je vous dis tout de suite qu'il ne faut pas croire tout ce qu'il raconte, hein ! Même s'il n'est pas vraiment menteur, il a tendance à en rajouter ou à en retirer selon les besoins de la cause.

(…)

Pardon ! Pourriez-vous répéter ?

(…)

Quoi !!??

Il a commencé à vous raconter l'affaire de la mitaine mystérieuse ! Ah le traître ! Je lui avais fait jurer de ne pas en parler ! Il m'avait donné sa parole qu'il n'en soufflerait mot à personne. Mais peut-on se fier à la parole d'un auteur ! J'aurais dû me douter que ce serait plus fort que lui, qu'il lâcherait le morceau, comme on dit dans le jargon des romans policiers. Les auteurs sont prêts à tout pour une bonne histoire !

Bon, je dis que je suis innocent de tout ce qu'il a pu vous raconter. Et qu'il ne faut jamais croire les mensonges d'un auteur. Je vous dis que c'est le héros qui sait tout, et qu'à lui seul on peut faire confiance. Et qu'à l'autre, je n'ai pas tout raconté parce que je me méfiais et que j'avais bien raison, allez !

(…)

Voilà ! J'ai retrouvé mon calme et ma sérénité et la conscience du yin et yang et je suis zen… Et puis, encore un moment, s'il vous plaît…

(…) Inspiration ! Expiration… Voiiiilà !

(……………… !!! ....)

Bien ! Maintenant que vous êtes au courant, aussi bien tout vous raconter. Mais pour commencer, je dois vous dire que Lucien et moi, nous ignorions que nous étions tous les deux amoureux de la même fille. Or, il s'avère que cette fille était précisément la propriétaire de cette fameuse mitaine. Du moins le pensions-nous.

Vous devez savoir aussi que, pour Lucien et moi, à cette époque ou plutôt un peu avant disons, et c'était pareil pour tous les copains de la troupe de la ruelle Saint-Dominique, les filles n'existaient pas. Bien sûr, elles étaient là, autour de nous, dans nos classes à nous chiper les meilleures places. Alors oui, on les voyait, mais on ne les regardait pas. Elles faisaient partie d'un autre monde fait de poupées, de cordes à danser et de fanfreluches qui, franchement, nous ôtaient toute envie de les fréquenter. Nous n'avions pas encore percé l'univers féminin. Ça allait venir plus vite qu'on ne le croyait, mais ça n'y était pas encore.

Pour l'heure donc, les filles, ça n'existe pas. On n'en parle pour ainsi dire jamais parce que, les filles, c'est connu, ça complique tout. Bien sûr, nous sommes bien obligés parfois de les laisser jouer à nos jeux. Eh bien, il ne leur faut pas cinq minutes pour transformer toutes les règles et un autre cinq minutes pour que la chicane prenne.

Alors, c'est pour cette raison, qu'entre nous, il n'y a pas de filles. Et c'est très bien comme ça. D'ailleurs les filles, elles disent la même chose des garçons, ce qui est bien la preuve qu'elles ne connaissent rien aux garçons. Alors voilà ! Les gars sont bien mieux avec les gars et les filles avec les filles ! Et qu'elles se débrouillent avec leurs poupées et leurs éternelles chicanes ! On a assez des nôtres !

Pendant que les filles règlent leurs disputes à grands coups de crêpage de chignon et de mesquineries, nous, les garçons, on est très bien. C'est l'amitié, la connivence, le *Tous pour Un*. Bref, c'est l'entente quasi parfaite. Du moins en a-t-il été ainsi jusqu'à l'apparition de cette maudite mitaine.

Car cette mitaine a bien failli détruire une amitié qui nous soude, Lucien et moi, depuis si longtemps que je ne me rappelle plus quel âge on avait quand je l'ai rencontré chez ma gardienne Mimi. Tout de suite, Lucien et moi, on est devenus les plus grands amis du monde pour le reste de la journée. Et ça dure depuis ce temps-là.

Ceci dit, ça ne règle en rien l'affaire de la mitaine. Mais ça vous donne le contexte.

Pour le reste, lisez bien ce qui suit et surtout ne m'interrompez pas.

La mitaine m'est tombée dessus avec quatre jours de retard sur la corde à linge. Pour être exact, c'était le vendredi suivant. Je l'ai trouvée sous une pile de chaises pliantes. Oui, je sais ! On vous a dit qu'elle se trouvait sur la corde à linge avec les autres vêtements. Mais ce n'est pas vrai. Elle était sous un tas de chaises pliantes en métal gris. C'est bien la preuve que les auteurs ne savent pas de quoi ils parlent.

C'est une mitaine pas ordinaire, une magnifique mitaine. Il y en a une seule paire comme ça dans toute l'école. Et je sais à qui elle appartient : à Mélinda Chiasson. C'est la plus belle fille de l'école, plus belle encore que sa mitaine qui est pourtant vraiment belle. Je lui ai parlé il y a trois jours. Elle m'a regardé avec ses beaux yeux bleu-vert-mauve. Elle m'a même écouté avec ses belles dents blanches, et elle m'a souri avec ses yeux comme des perles qu'on dirait des lumières. Bref et en résumé, la mitaine lui va comme un gant.

Elle est en cuir (je parle ici, bien sûr, de la mitaine, pas de Mélinda) avec une ganse toute tissée avec de petites perles colorées qui forment un dessin géométrique comme en font les Amérindiens. Sur le dessus, il y a une espèce de roue à huit pointes, perlées de bleu. Et puis, la mitaine, elle sent le parfum, comme quand les filles se mettent du parfum pour sentir bon.

— T'as vu ce que j'ai trouvé ? que je dis à Lucien après avoir ramassé la mitaine sous le tas de chaises pliantes de métal gris.

Ç'a été ma première erreur. Non pas d'avoir ramassé la mitaine, mais bien de l'avoir montrée à Lucien. Mais ça, je l'ignorais. Mon Lucien est devenu tout rouge d'envie avec les yeux tout grands. J'ai bien vu que la mitaine le tentait, mais il a fait l'innocent en prenant sa voix mielleuse à pouvoir y coller une colonie de mouches.

— Si tu veux, qu'il me dit, je peux aller la mettre dans la boîte aux objets perdus devant le bureau de la secrétaire. Comme ça, tu pourras sortir plus vite pour aller à la récré. Moi, mes bottes sont trouées. Alors, ça ne me dérange pas de faire un détour. Comme ça, je passerai moins de temps dehors. Tu comprends, c'est juste pour te rendre service avec la mitaine (*le sale petit hypocrite !*). Parce que c'est une belle mitaine en cuir avec des perles et tout et tout, et que ce serait dommage de pas la retourner à sa propriétaire. D'autant plus, que je connais la fille à qui elle appartient. Elle va être contente de la retrouver dans les objets perdus.

Moi, la mitaine, j'ai dans l'idée de la garder. La propriétaire, je la connais aussi très bien. Mais même si je n'avais pas voulu la conserver, je crois que je ne la lui aurais pas donnée, à Lucien. Ça lui faisait trop plaisir de me rendre service pour que ce soit innocent. J'ai l'étrange sentiment que l'anguille, comme dit le proverbe, qui se cache sous roche, n'est pas très loin derrière son sourire benêt. Ce serait lui accorder un avantage que je ne suis pas prêt à lui concéder. C'est comme si, avant un match de hockey, on accordait trois buts d'avance à l'adversaire. Ce serait irrécupérable.

Je ne sais pas si vous me suivez dans ma façon de penser. Quoi qu'il en soit, la mitaine, je ne la lui ai pas donnée. Bon, pour le moment, mon Lucien absorbe le coup sans broncher et sans perdre son sourire idiot. Ça ne fait pas de flammèches parce que j'ai pris, moi aussi, un air innocent pour lui répondre. Je lui dis que, comme la cour est glacée et que je n'ai pas le goût de me déboîter l'épaule en faisant une chute, je ne vois pas du tout d'inconvénient à aller moi-même porter la fameuse mitaine dans la boîte aux objets perdus.

Mon idée, bien sûr, est tout autre. Comme je connais la fille à qui appartient la mitaine, et que ladite fille est dans la cour, j'ai l'intention de la lui remettre en mains propres. J'en tirerai peut-être certains avantages. Du moins, c'est ce que j'espère.

Mais voilà, Mélinda n'est pas dans la cour. Je regarde partout. Personne ! Je dois me rendre à l'évidence : la 7e B, ce matin, sera de la deuxième récréation.

Bon ! Il faut que je vous explique ici une caractéristique de notre école. Notre cour de récré est très petite. Toutes les classes ne peuvent pas s'y ébattre en même temps. La direction a donc décidé d'organiser un horaire à deux récrés, si bien que ce n'est jamais facile de savoir qui est là à la première récré et qui sera de la seconde, car cela varie chaque jour en fonction des cours des spécialistes. Les profs eux-mêmes s'y perdent parfois au point d'en oublier leur surveillance, ce qui a pour conséquence qu'il n'y a souvent qu'un seul surveillant. Alors, c'est le bordel dans la cour parce que, tout seul, un surveillant n'en vient tout simplement pas à bout avec les éclopés, les bagarres de garçons et les chicanes de filles.

Sur le coup, je dois avouer que je suis bien content que Mélinda ne soit pas présente dans la cour. Jamais je n'aurais pu agir discrètement, à l'abri du regard de mon ennemi de Lucien qui n'arrête pas de me zieuter de la manière hypocrite des espions russes.

Alors, je suis remonté en classe avec la mitaine sur mon cœur. Je l'ai mise dans la manche de mon manteau. Je me suis arrangé pour que Lucien, qui est dans la classe de la vieille perruche à Jobin, le local en face du nôtre, ne voit rien de mon manège. Puis, j'ai refermé la porte de mon casier comme si de rien n'était et je suis rentré en classe.

Je me dis que je rendrai sa mitaine à Mélinda au retour du dîner. Parce qu'au moment de la cloche de treize heures, tous les élèves de l'école sont présents en même temps dans la cour. Et malheur à celui ou celle qui s'aviserait d'être en retard.

J'avais malheureusement sous-estimé l'adversaire.

À onze heures, qui je ne vois pas se déplacer dans le corridor en prenant la direction des toilettes et que j'ai bien vu en raison de la porte de classe qui est grande ouverte ? Lucien lui-même, en personne, qui a même le front de me lancer un salut discret de la main avec, au bout, un sourire que je qualifierais de requin. Bien sûr, j'ai eu un doute et puis, quoi, je me suis dit qu'il allait simplement pisser et je me suis remis au travail.

Au milieu de ces satanés problèmes de maths insolubles de bassin troué qui se remplit et d'un robinet qui débite de l'eau à plein jet, j'ai oublié la mitaine. Et comme j'ai vu repasser Lucien…

Alors, me demandez-vous ?

Eh ben, alors, quand la cloche a sonné, à onze heures trente, nous libérant de la torture mathématicienne, la mitaine, bien sûr, avait eu le temps de disparaître. Mon manteau que j'avais pourtant pris le temps de suspendre à l'un des crochets, est en tas sur le plancher de mon casier.

Je ne fais ni une ni deux. Aussitôt sorti de l'école, je m'élance sur le trottoir à la poursuite de mon voleur de mitaine. En dix enjambées, je rejoins Lucien qui est avec Richard qui, lui, marche en compagnie de Ghislain. Et là, j'ai tiré Lucien par la manche de son manteau avec une telle force qu'il a bien été obligé de se retourner pour me faire face.

Je lui crie de me la rendre, ma mitaine. Que Mélinda, c'est moi qui la connais le mieux. Que c'est moi qui l'ai trouvée, la mitaine, et pas lui et qu'il l'a prise dans mon casier en allant pisser.

Lucien nie et me traite de pauvre idiot, prétend ne rien savoir de ce dont je parle. Tu parles qu'il ne sait pas de quoi je parle ! Le menteur, l'hypocrite, le Judas Iscariote ! Parce que juste à ce moment, la mitaine, elle est justement tombée de sa poche. On se penche tous les deux d'un mouvement ultra super rapide pour la ramasser le premier. En même temps, on met la main dessus.

Alors, on se tapoche à qui mieux mieux. On tire chacun de son côté jusqu'à ce qu'elle se déchire, la mitaine de Mélinda, et qu'on se retrouve, comme deux imbéciles, avec une moitié de mitaine chacun.

On s'est regardés sans trop comprendre ce qui nous arrivait. Ghislain et Richard nous aident à nous relever.

— C'est quoi, cette histoire de mitaine ? nous demande Ghislain. Vous êtes tombés sur la tête ? Vous battre pour une mitaine, franchement !

Lucien et moi, on se regarde et on éclate de rire.

— T'as mal ? que je lui demande.

Il fait non de la tête, puis il lorgne du côté de son pantalon boueux et troué au genou droit.

— Il va falloir maintenant que j'explique ça à ma mère ! Elle va être en beau joual vert. Un pantalon presque neuf. Elle va me tuer. C'est sûr que je passe la soirée dans ma chambre, sans dessert.

— T'avais qu'à ne pas chaparder le bien d'autrui, que je lui rétorque.

— Écoutez-le, qu'il me répond en mordant dans chaque mot comme s'il allait me sauter dessus. T'avais qu'à la mettre dans la boîte aux objets perdus, ta mitaine de merde, comme je te l'avais suggéré.

— Ça ne te donnait pas le droit de venir fouiller dans mon casier pour la prendre, cette mitaine. De toute façon, elle est ni à toi ni à moi. C'est la mitaine de Mélinda.

Richard nous regarde, complètement déconcerté. Sa question a fusé comme un acte d'accusation.

— Coudonc, vous deux ! Êtes-vous amoureux de cette fille-là ?

Bien sûr, ni l'un ni l'autre n'a rien voulu avouer de son sentiment pour Mélinda.

On a même nié avec une énergie telle que ça aurait dû éveiller des soupçons dans l'esprit de Richard pour peu qu'il ait été le moindrement déluré question fille, ce qu'il n'est heureusement pas.

Nous nous sommes finalement séparés. Je suis rentré chez moi pour dîner avec la moitié de la mitaine dans la poche et le cœur en lambeaux. Parce que, n'empêche, j'aurais tellement voulu la lui remettre, sa mitaine, à Mélinda. Pour qu'elle me regarde avec son beau visage couleur café au lait et ses belles dents blanches et ses grands yeux lumineux qu'on dirait des étoiles. Mais là, ce n'est plus possible.

Quand nous nous sommes retrouvés dans la cour, Lucien et moi, ce midi-là, nous nous sommes mis d'accord sur un point : nous l'avons échappé belle. Parce que, les filles, c'est vraiment juste des chicanes.

— Plus jamais on ne remet notre amitié en péril pour une fille, qu'il a dit, Lucien.

Et je suis d'accord. Nous sommes repartis comme deux vieilles branches soudées l'une à l'autre à un tronc d'arbre, jurant que plus jamais on ne nous y reprendrait. Mais dans mon cas, je suis quand même un brin triste que Mélinda ne retrouve jamais l'autre moitié de sa paire de mitaine et je me dis, pour me consoler, que c'est quand même une belle fin pour une histoire d'amour qui n'a jamais eu le temps de commencer que de ne pas briser une aussi vieille amitié.

Alors du coup, je me retourne. Et sur qui je tombe en la bousculant ? Mélinda !

— Ah ! Les garçons ! lance-t-elle avec mépris. Toujours à courir sans regarder. Une bande de dindons pas de tête ! Dégage, le jeunot ! Et regarde où tu vas, la prochaine fois, épais !

Elle s'est mise à rire avec ses deux idiotes de copines dont je ne connais même pas le nom. Je suis mortifié. J'ai le cœur en miettes pour la seconde fois de la journée. Et là, je ne sais pas pourquoi, je fixe ses mains du regard.

Elle a ses deux mitaines en cuir avec des perles bleues et blanches. Celle que j'ai trouvée ne lui appartenait donc pas. Et du coup, la tristesse a fait place à la colère. Je cours vers elle. Je lui arrache une de ses mitaines.

Je la lance à Simon, qui la lance à Ghislain qui la lance à Lucien, à Étienne, à Francis. Pendant qu'autour, rouge de colère et d'humiliation, hurle une Mélinda laide comme un fion de poule.

N'empêche qu'à la fin de tout ça, une question demeure. À qui appartenait dont la fameuse mitaine ? Mystère !

5

La bagarre qui n'aura jamais eu lieu

26 mars 1963

La bagarre éclate dans la cour sans que personne ne sache vraiment pourquoi.

L'hiver est passé, mais le printemps n'a pas encore pris ses quartiers. De la neige, il y en a encore jusque par-dessus les clôtures. De la neige grise, sale, mouillée. Nos vêtements filent leurs derniers jours d'existence. Les bottes sont percées, les mitaines trouées, les foulards et les tuques effilochées. On a l'air du *père Grognard* partant à la conquête des cloportes.

Vous ne connaissez pas le *père Grognard* ? C'est un personnage inventé par notre professeur. Un vieux mal habillé, toujours de mauvaise humeur, l'esprit tourmenté qui vit des aventures extravagantes que nous raconte notre maître chaque vendredi après-midi.

Eh ben, on lui ressemble en effet au *père Grognard,* avec nos habits déglingués et nos humeurs maussades. Parce que nous avons, nous aussi, nos misères cérébrales. Tous fatigués de l'hiver, tous impatients de voir se pointer le printemps qui se traîne les pieds. On se désespère des devoirs et des leçons, des examens qui n'en finissent plus, du primaire qui s'éternise, du secondaire qui fait peur. Dégoûtés à vomir de la neige qui tombe en bordée, du froid humide qui nous déglingue les jeux extérieurs, du temps gris, du soleil sans chaleur.

Alors, ce jeudi-là, fallait bien que ça éclate. Fallait que, d'une façon ou d'une autre, on se débourre de notre trop plein d'*écœurantite* aiguë. Le premier prétexte digne de ce nom à se présenter sera le bon. Il servira de détonateur à la bombe qui ne demande pas mieux que d'exploser.

Il suffira d'une remarque désobligeante d'un gars de la ruelle Châteaubriand pour mettre le feu aux poudres. Il s'appelle Pierre Lafrance. Un bon gars. Rieur, gentil, pas querelleur pour deux sous, espiègle et toujours prêt à rendre service. Bref, un copain qu'on voudrait tous avoir pour ami. Alors, pourquoi c'est tombé sur sa pomme ? Je l'ignore. Parce qu'il fallait qu'il y en ait un. Parce qu'il a prononcé le mot qu'il ne fallait pas.

Il a dit de l'ami du cousin de Simon, qui est en sixième, que c'est un tricheur aux billes. Ce qui est parfaitement exact. J'en ai eu la preuve roulante et sonnante pas plus tard que la semaine dernière alors que le Ben Trudeau en question (l'ami du cousin à Simon) a discuté sur un point parfaitement acquis en remplaçant subrepticement ma bille par la sienne. Une claque sur le museau avait vite rétabli les faits, mais la preuve était faite qu'il était bel et bien un sale tricheur.

Tout ça pour vous dire que Simon a su que son cousin savait qu'on avait traîté son copain de tricheur. La bagarre a pris. Le cousin a défendu son ami, Simon a défendu son cousin. L'ami de Pierre s'en est pris au cousin qui, du coup, a subi une attaque latérale de la part de Simon qui a lui-même essuyé une taloche du frère de Pierre qui s'est, à son tour, invité dans la bagarre. Et c'est comme ça que toute la troupe de la ruelle Saint-Dominique et celle de la ruelle Chateaubriand ont été entraînées dans une déferlante qui a englouti toutes nos énergies. L'empoignade s'est soldée par trois lèvres fendues, quelques yeux pochés, une dent brisée et une retenue mémorable au piquet dans la grande salle pendant une heure le soir même pour chacun d'entre nous.

Mais la bagarre n'avait fait ni vainqueurs ni vaincus. Or, nous les jeunes, nous détestons le vide et l'à-peu-près. Il fallait à tout prix se départager. Le soir, en sortant de l'école, les deux clans se sont retrouvés au parc Jarry. Les chefs, assistés de leur lieutenant, se sont approchés.

Je m'avance donc avec Lucien au milieu du cercle que les deux troupes forment sur la neige grise du soir qui tombe. Devant moi, Pierre Lafrance accompagné de Réal Bossé, un grand édenté un peu fainéant.

— Salut ! qu'il fait Pierre, le chef de l'armée adverse, en me lançant un grand sourire. J'ai les pieds tout trempés, qu'il ajoute avant de reprendre son sérieux. Bon ben, qu'est-ce qu'on fait maintenant ?

— Ben, je ne sais pas trop, que je lui réponds. Faut faire quelque chose en tout cas. Je propose une grande bagarre de neige samedi matin. L'équipe qui l'emportera sera déclarée gagnante de la bagarre d'aujourd'hui.

— De neige ? fait Pierre pas très convaincu.

Tous les quatre, nous zieutons le parc qui nous entoure. Il est recouvert d'une couche de neige grise, piétinée par endroits, ailleurs épaisse d'un bon mètre et couverte d'une plaque de glaçouille* qui craque aussitôt qu'on y pose le pied en se défaisant en grandes plaques qui rendent la course impossible et les déplacements harassants. Et puis cette plaque est chargée d'eau que le moindre rayon de soleil fait remonter à la surface ou que le froid congèle en formant des plaques de glace qui rendent la marche impossible.

— La pergola ! suggère Lucien.

— Quoi la pergola ? intervient le grand Bossé.

On se tourne vers la fragile construction de bois qui élève ses six colonnes de bois soutenant un toit en pignon à une cinquantaine de pieds derrière nous. Le lieu est entouré d'immenses bancs de neige intacts. L'escalier est impraticable, car il est couvert de neige jusqu'à la hauteur des rampes.

— C'est une bonne idée, non ? insiste Lucien. L'équipe qui occupe le plancher

---

* Glaçouille : terme que nous avions inventé, enfants, pour parler de cette couche de neige qui apparaît en fin d'hiver quand la surface des étendues de neige a commencé à fondre avant de geler à nouveau, couvrant ainsi le paysage d'un glacis fragile d'environ trois ou quatre centimètres d'épaisseur.

de la pergola quand les cloches de l'église sonneront midi, cette équipe-là sera déclarée vainqueuse...

— Vainqueur ! rectifie, le grand Bossé

— Vainqueuse, s'entête Lucien qui déteste se faire reprendre surtout quand il sait qu'il a tort.

— Laisse faire, Lucien ! que j'interviens avec autorité. De toute manière, le mot qui convient ce n'est ni vainqueur ni vainqueuse, c'est victorieuse. Et puis ça n'a aucune importance... Samedi, ici, à dix heures. Chaque équipe peut établir son fort où il veut dans le parc pourvu qu'il soit au moins à cent pas de la pergola. Pas le droit de toucher aux alentours de la pergola avant le début de la bataille.

— OK ! consent Pierre Lafrance avec bonne humeur. Mais attention, pas le droit aux *slingshot* ou aux tire-pois. Pas de ballounes d'eau ou de sacs de farine. On n'est pas l'été. Pas de roches. Si la neige est collante, on aura le droit aux balles de neige. Mais pas de balles de glace. Non plus, pas le droit de faire les balles d'avance, avant samedi matin, sans ça les balles virent en glace et c'est trop dangereux. Les deux chefs décideront avec les lieutenants si la neige est bonne pour faire des balles de neige.

— C'est correct, que je dis. On a droit aux épées, aux boucliers, aux échelles, aux arcs et aux flèches.

— Mais pas de flèches avec un bouchon de coke au bout. C'est trop dangereux... Et s'il pleut, on remet ça à une autre journée. On a tous mangé notre ration de taloches aujourd'hui sans en plus risquer la grosse misère d'une grippe ou d'une pneumonie ou les oreillons.

— Très bien. Mais comment on va décider s'il pleut trop ou pas assez pour annuler ? que je demande.

— Ben je t'appelle ou tu m'appelles, comme tu veux. On décide ça au téléphone, samedi matin, 9 heures. Je te donne mon numéro de téléphone.

Pierre et moi, nous échangeons notre numéro de téléphone. On se salue. On rejoint nos troupes. On explique. On se sépare. Je rentre avec Lucien qui ne décolère pas contre le grand Bossé qui a osé lui faire la leçon à propos de son français.

— Maudite face à claques de grand innocent de Bossé ! Il me fait chier ! Trop cave pour savoir que les mots en *eur* font *euse* au féminin. Joueur, joueuse, dormeur, dormeuse, conteur, conteuse, chanteur, chanteuse, danseur, danseuse... C'est qu'il m'obstinait à part de ça. T'aurais dû me laisser faire ! Je l'aurais mouché d'une mornifle pour lui apprendre les règles du féminin à ce grand escogriffe d'asperge mal cuite.

— Laisse faire, Lucien. Ce coup-ci, c'est lui qui avait raison. « Vainqueur » ne se met pas au féminin. C'est un nom ou adjectif invariable en genre.

— C'est ça, hurle mon lieutenant tout indigné par mon attitude. Donnes-y donc raison un coup parti ! Coudonc, t'es de quel bord ?

— Du bord de la grammaire française, que je lui réponds d'un ton désinvolte qui a l'heur de le mettre encore plus en colère.

— Ben mes règles du féminin, je les connais, tu sauras, monsieur *Ti-Jos Connaissant* ! Les mots en *eur* font *euse*, c'est la règle.

— C'est ça ! Comme docteur, docteuse, tracteur tracteuse, facteur facteuse, bonheur bonheuse, que je lance en rigolant.

Oh ! Mes aïeux ! Ça ne l'a vraiment pas fait rigoler, mon Lucien de lieutenant.

— Ah pis ! Va donc ch... Va donc chez le bonhomme !

Il a tourné le coin en calant son sac d'école sur ses reins et en remontant le col de son manteau.

— Je passe te prendre demain matin à huit heures quarante-cinq comme d'habitude, que je lui lance en continuant à rigoler sans recevoir de sa part la moindre réponse.

L'amitié, la camaraderie, la sympathie, enfin tous ces liens qui nous soudent les uns aux autres et qu'on croit solides, inaliénables, éternels, tiennent finalement à bien peu de chose. Un coup de vent de travers, une journée de pluie, une invitation faite et acceptée et voilà votre monde qui bascule. C'est parfois douloureux, mais souvent cela arrive presque naturellement avec la débâcle des sentiments qu'entraînent d'autres évènements de la vie. Des liens se défont, d'autres se créent et la vie continue.

Ce samedi-là, il fait une température exécrable. Un temps à ne pas mettre un chien dehors. Pluie, vent, ciel nuageux et bas. À neuf heures dix, je téléphone chez Pierre Lafrance. Dring, dring, dring ! Allô !

Une voix de femme répond. Gentille la voix, très douce.

— Est-ce que je peux parler à Pierre. Je m'appelle Pierre-Paul Marchand. Je suis son... J'ai hésité une seconde avant de prononcer le mot. Il a finalement glissé hors de ma bouche sans difficulté... Je suis son ami.

— Pierre-Paul ! a fait la voix comme satisfaite de la chose. Tu es dans la classe de Pierre, n'est-ce pas ? Il nous parle souvent de toi ! Un instant ! Je te le passe...

Clic ! Quelques secondes s'écoulent. Je suis un peu étonné que madame Lafrance connaisse mon nom. Pierre est un gars que j'aime bien, mais avec qui je n'entretiens aucun lien particulier. C'est étonnant qu'il ait parlé de moi à sa mère, assez en tout cas pour qu'elle me reconnaisse au seul prononcé de mon nom. Parce que des Pierre-Paul, à notre école, il n'y en a pas des masses. Je suis le seul garçon affublé d'un nom pareil. Ça me fait rudement plaisir qu'il ait ainsi parlé de moi à sa famille ! Ça me fait tout drôle, comme un petit velours, comme on dit. Pour ma part, je ne crois pas avoir jamais mentionné son nom une seule fois en dehors de la cour d'école. Ni mon père ni ma mère n'ont aucune idée de qui ça peut être. Pour moi, Pierre Lafrance, du moins pour aujourd'hui, et spécialement aujourd'hui, c'est le chef de la bande rivale de la ruelle Chateaubriand et rien d'autre.

Une voix se fait finalement entendre. Une voix si jeune que j'ai du mal à croire que ce soit celle de Pierre Lafrance. Pourtant c'est bien lui. Même à travers le téléphone, je le vois presque sourire. Pierre sourit tout le temps.

— Allô, Pépé ! qu'il fait. J'allais moi-même t'appeler.

— Oui, ben c'est au sujet de notre ...

— Je sais ! J'ai appelé mes gars pis je leur ai dit de rester chez eux. Avec le temps qu'il fait, ce n'est pas la peine d'insister. De toute façon, ma mère ne me laisserait pas sortir.

— C'est pareil pour moi, que je réponds sans être tout à fait certain de la chose... Ça va être une journée plate en mautadit.

Il y a un court silence, puis tout à coup, la voix explose à l'autre bout du fil :

— Ben, pourquoi tu ne viendrais pas chez nous cet après-midi ? ... Attends !... Maman, Pierre-Paul, est-ce qu'il peut venir dîner à la maison aujourd'hui ? On jouerait ensemble avec Gaby et Sylvain dans la cave.

J'ai entendu une voix féminine lui répondre.

— C'est ben correct, mon Pierrot, mais pas avant que vous ayez fait vos chambres, tes frères et toi. C'est le bordel depuis une semaine... Dis à ton ami d'arriver vers midi... Mais à trois heures et demie, faudra que ce soit fini, la visite. On va souper chez ton oncle Henri, ce soir.

— Ma mère, elle veut ! Tu peux arriver pour l'heure du dîner. Mais pas avant. Faut faire nos chambres pis tout nettoyer.

— C'est pareil pour moi. Faut aussi que je demande à ma mère.... Attends !

(...)

— Elle veut.

— C'est le fun. Le samedi midi, on mange toujours des hamburgers avec des patates frites. Pis après, on pourrait jouer en bas, dans la cave, avec mes frères. On a des tas de jeux, pis même un filet de hockey.

J'y suis allé et j'ai passé un super bel après-midi. Mais la chose s'est sue. Comment ? Je n'en sais rien, car ni moi ni Pierre n'avons parlé à personne de notre après-midi. Mais lundi matin, Lucien, Paulo, Gabriel, Dany et les autres m'attendent dans la cour de l'école. Ma relation avec le chef de la troupe ennemie est rudement évoquée. On me reproche d'abord mon absence de regret, mon manque de jugement.

J'absorbe le coup sans broncher. Lucien me toise de la tête aux pieds. Il est dans une colère noire. Il crache par terre et me fixe droit dans les yeux.

— Jamais j'aurais pu imaginer que toi, Pierre-Paul Marchand, tu sois un traître et un déserteur.

Cette fois l'insulte exige réparation. Mon poing vole en l'air et ricoche sur la mâchoire de Lucien qui se retrouve par terre, la bouche en sang. Je le regarde un long moment et je quitte les lieux sans me retourner.

On ne s'est plus parlé, Lucien et moi, de tout le reste de l'année scolaire qui file avec une rapidité effroyable. J'évite les copains de la ruelle et je me satisfais de cette relation privilégiée et enrichissante que j'entretiens avec Pierre tous les jours.

Et voilà comment s'est dissoute la troupe de la ruelle Saint-Dominique.

Voilà aussi ce qui a sonné le glas de l'amitié qui m'attachait à Lucien. Cette invitation chez Pierre Lachance, l'après-midi agréable que j'y ai passé ne furent pas, loin de là, les seuls arguments qui entrèrent en jeu dans le descellement des pierres qui servaient de socle à notre vieille relation à Lucien et à moi. L'usure du temps y a été pour quelque chose aussi. Mais un autre fait allait ici peser de tout son poids sur la suite des choses.

Ce que la chance lui avait évité l'année précédente, s'est produit cette année. Faute de mon aide aux examens de juin, Lucien a dû reprendre sa septième année. Moi, je me suis dirigé vers l'école secondaire et c'est ainsi que nous nous sommes perdus de vue définitivement.

Depuis, les années ont passé. Notre enfance et notre jeunesse se sont emmurées dans l'oubli des souvenirs que notre mémoire ne visite plus. La moitié des copains s'est dispersée dans une suite de déménagements coutumiers à tous les Montréalais. Les autres se sont effacés peu à peu comme les feuilles d'un arbre en automne.

L'année qui suivit notre entrée au secondaire, Pierre et toute sa famille ont pris le chemin de Sherbrooke où son père venait d'être transféré pour son travail. J'ai vécu cette séparation avec une douleur semblable à celle que ressentent les amoureux quand le hasard de la vie les éloigne à jamais. Je ne l'ai jamais oublié. Sans doute que l'amitié que j'ai créée avec Pierre, à cette époque, a été l'amitié, bien que brève, la plus significative que j'ai vécue de toute ma vie.

Quant à Lucien, il est revenu fugitivement dans ma vie. Mais les choses n'ont plus jamais été les mêmes. Finalement, à l'âge de seize ans, il a mis les voiles à son tour, direction le Lac-Saint-Jean. Ce qu'il est advenu de lui, je n'en sais rien. J'ai reçu de lui une seule lettre dans laquelle il disait penser souvent à moi. Je ne lui ai pas répondu.

Et puis l'âge adulte est venu. Je l'ai traversé avec son lot de joies et de peines. On ne l'évite pas. Papa nous a quittés alors que j'étais à l'université. Aujourd'hui, mon frère et moi avons enterré notre mère. J'ai soixante-trois ans.

Après les funérailles, je suis retourné dans le quartier qui a vu passer mon enfance. Il a très peu changé. Les mêmes maisons, les mêmes escaliers. J'ai refait, cinquante ans plus tard, le chemin qui m'amenait autrefois de la maison à l'école. Pas à pas, les visages se sont rallumés comme des lampes qu'on agite dans la nuit. Peu à peu, les souvenirs se sont ranimés.

Arrivé devant l'école que j'avais fréquentée à cette époque, je me suis arrêté un instant. Elle n'a pas changé. Les mêmes briques, les mêmes portes, les mêmes fenêtres qu'une équipe d'ouvriers est en train de changer. Les mêmes visages aussi dans la cour d'école enflammée de soleil, avec les mêmes cris d'enfant, les mêmes bousculades. On rigole dans un coin, discute dans un autre. Ailleurs, on joue au ballon, à la corde, aux quatre coins. Et je me dis, en regardant tout ça, que le bonheur existe à tous les âges de la vie, mais jamais autant que durant son enfance.

Et j'ai repris ma promenade. À chaque pas qui m'éloigne de ce lieu chargé de souvenirs, s'estompent peu à peu les visages de tous ceux que j'ai, ici, appris à aimer.

Adieu, amis de jadis !

Ce livre a été imprimé sur du papier Sylva enviro
100 % recyclé, traité sans chlore, accrédité Éco-Logo
et fait à partir d'énergie biogaz.

Achevé d'imprimer
à Montmagny (Québec)
sur les presses de Marquis Imprimeur
en janvier 2015